Elle avait un compte à régler avec lui…

"J'ai décidé de transformer la propriété en terrain de camping," fit Laurie avec une innocence feinte. "Je vais faire construire des bungalows… et il y aura une discothèque au rez-de-chaussée."

"Petite sotte!" gronda Max entre ses mâchoires crispées. "Vous m'aviez promis d'écouter *Herr* Kreuz en gardant l'esprit ouvert…"

"Et *Herr* Staffler," ajouta-t-elle froidement. "Lui aussi sait ce que vous avez fait endurer à mon oncle! Quelle honte!"

"Ne vous laissez pas aveugler! J'ai essayé d'aider votre oncle, je lui ai offert de venir vivre au château…"

"Oh! ne continuez pas à mentir!" coupa Laurie. "Je vous trouve parfaitement méprisable…Vous piétinez les faibles sans pitié pour un malheureux lopin de terre!"

Un jour, il lui en demanderait pardon…A genoux!

Dans Collection Harlequin

Sally Wentworth

est l'auteur de

FLAMME, FLAMME VACILLANTE (#193)
LE CHEVALIER DE RHODES (#245)
L'OMBRE D'UNE FEMME (#251)
SEPT ANS DE SOLITUDE (#286)

Dans Harlequin Romantique

Sally Wentworth

est l'auteur de

LA COURSE CONTRE L'AMOUR (#110)
POUR CUEILLIR UNE EGLANTINE (#117)
L'ENNEMI DE TANSY (#160)

Ces titres sont disponibles chez votre dépositaire.

ÉTRANGE HÉRITAGE

Sally Wentworth

PARIS · MONTREAL · NEW YORK · TORONTO

Publié en mars 1983

ISBN 0-373-49315-0

Dépôt légal 1er trimestre 1983
Bibliothèque nationale du Québec et Bibliothèque nationale
du Canada.

Imprimé au Canada—Printed in Canada

1

C'était un des tout premiers beaux jours de ce début juin. Une journée printanière, pleine de promesses. Déjà, les rues de la ville s'animaient. Les employés sortaient des bureaux et se hâtaient vers les restaurants ou les magasins, bien résolus à profiter de leur heure de déjeuner. Lorsque Laurie Summers émergea du bâtiment moderne où elle exerçait les fonctions de secrétaire depuis deux ans, elle rejeta la tête en arrière, humant l'air tiède avec délices. Une brise légère ébouriffa ses boucles brunes. C'était bon d'être dehors à nouveau, loin de l'atmosphère confinée et solennelle du cabinet d'avocats où elle travaillait.

D'un pas allègre, elle descendit Fleet Street jusqu'à la ravissante porte voûtée de l'Ecole de Droit. Dès qu'elle l'eut franchie, le vacarme des voitures s'arrêta net. Cet ancien temple du XIIe siècle, avec sa cour intérieure, était une véritable oasis de paix et de tranquillité. De nombreux avocats londoniens y avaient installé leurs bureaux, jouissant ainsi du calme de ces lieux et de la proximité des différentes Cours de Justice de la capitale.

Une silhouette familière lui adressa un signe de la main. Laurie lui rendit son salut et descendit les marches en courant. Son petit visage fin aux immenses yeux noisette rayonnait d'excitation. Elle se précipita dans les bras du jeune homme et l'embrassa fougueusement.

— Hé ! Qu'ai-je fait pour mériter ceci ?

Richard Derrington, mi-amusé, mi-surpris, interrogea Laurie du regard.

— Oh Richard ! J'ai une nouvelle merveilleuse à vous annoncer ! J'ai hérité d'une propriété en Autriche. Attendez, je vais vous montrer !…

Ils se dirigèrent vers un banc, tandis qu'elle sortait une lettre de son sac.

— … L'anglais n'est pas excellent, mais c'est tout à fait compréhensible.

Richard sourit avec indulgence en la voyant brandir l'enveloppe. Il prit le temps d'examiner l'en-tête du document.

— Du cabinet notarial Kreuz à Ausbach, district du Tyrol, lut-il. Je n'ai jamais entendu parler d'eux.

— Aucune importance ! Lisez-donc ! enjoignit-elle impérieusement. Ah ! Donnez-la-moi. Je vais vous lire les passages importants ! « … vous informe du décès de votre grand-oncle, Herr Howard Cannings… Il vous lègue sa propriété, dénommée Chalet Alpenrose, constituée d'une maison et du terrain alentour ». Ensuite, il décrit les terres, mais plus loin… Ah ! Voici : « … à la mort de Herr Cannings, une proposition d'achat m'a été communiquée. Sans être généreuse, elle me semble raisonnable, étant donné le manque d'entretien dont la propriété à pâti durant les dernières années de la vie de Herr Cannings »… Richard ! Comprenez-vous ce que cela signifie ? s'écria Laurie, les yeux brillants de joie. Nous n'avons plus besoin d'attendre votre installation ! Nous pouvons nous fiancer cette année… Tout de suite !

— Laurie ! Du calme, voyons !

Il récupéra la lettre en riant et entreprit de la lire d'un

bout à l'autre. Assise à côté de lui, la jeune fille dominait à grand-peine son impatience.

Elle avait rencontré Richard dans la firme où elle travaillait. Tout jeune avocat à l'époque, il était venu régler quelques affaires, et ils avaient sympathisé. Peu à peu, leurs liens s'étaient resserrés. Sans s'être fiancés officiellement, ils avaient décidé de se marier lorsque Richard serait tout à fait établi. Laurie, elle, aurait volontiers accepté de l'épouser tout de suite, quitte à s'installer provisoirement dans un petit studio, mais le jeune homme avait refusé d'en entendre parler. Il voulait pouvoir lui offrir un véritable foyer. C'était un garçon raisonnable, gentil, très sympathique, parfaitement sûr et digne de confiance. Il tempérait à merveille la nature vive et impulsive de Laurie. Plus d'une fois, il lui avait prodigué de sages conseils lorsqu'elle était prête à se jeter sans réfléchir dans de nouveaux projets. Elle lui était reconnaissante de ses avertissements, mais, au fond d'elle-même, il lui arrivait de regretter les occasions perdues, les expériences dont il l'avait détournée.

— Qui est Howard Cannings? demanda-t-il au bout d'un moment. Vous ne m'en avez jamais parlé, je crois.

— J'avais presque oublié son existence, reconnut Laurie. C'était l'oncle de ma mère. Nous le voyions souvent lorsque j'étais enfant, mais il a épousé une Autrichienne et s'est installé là-bas. Par la suite, nous n'avons plus eu de nouvelles de lui, hormis une carte de vœux à Noël, de temps à autre. Mais, je me le rappelle maintenant, maman disait souvent qu'il avait beaucoup d'affection pour moi.

— Hum! Cela semble très intéressant, en tout cas, déclara Richard en lui rendant la lettre.

— Intéressant? Sans plus? Mais c'est ce qui m'est arrivé de plus extraordinaire depuis des années! J'ai calculé à combien la somme proposée équivalait: plus de cinq cent mille francs. C'est assez pour acheter une maison. Oh Richard ! N'est-ce pas merveilleux ?

Son enthousiasme fit sourire le jeune homme.

— Vous ne pouvez pas accepter cette offre directement, Laurie. Il vaut mieux faire procéder à une estimation de la propriété avant de conclure quoi que ce soit. Vous devez ne négliger aucun détail : les terres sont peut-être cultivées, les récoltes pourraient vous rapporter de l'argent. Ou le terrain est situé aux confins d'une ville, ou sur une zone de développement urbain... Que sais-je encore ? Si nous pouvions nous y rendre tous les deux, ce serait l'idéal. Malheureusement, je vais m'occuper d'un procès très important, je vous en ai déjà parlé. Je ne peux absolument pas me libérer pour l'instant.

— Mais cela risque de durer des semaines, des mois, même, m'avez-vous dit !

— Oui, je le sais. Je suis navré, mais cette affaire peut me permettre de me constituer une clientèle par la suite ; il est hors de question de l'abandonner. Nous irons en Autriche aussitôt après, promit-il pour la consoler. Allons, venez à présent. Si nous voulons avoir une place au restaurant, nous ferions mieux de nous hâter.

Ils firent quelques pas. Soudain, Laurie saisit son compagnon par la manche et lui fit faire demi-tour.

— Vous ne pouvez pas vous absenter, c'est entendu, déclara-t-elle. Mais rien ne m'empêche d'y aller. J'ai droit à trois semaines de vacances.

Richard resta interdit.

— Vous ne pouvez pas y aller seule ! s'exclama-t-il.

— Pourquoi pas ? J'ai vingt et un ans, et il ne s'agit pas d'une expédition au cœur de l'Afrique, après tout !

— Voyons, vous ne sauriez pas poser les bonnes questions, on risque de vous escroquer sans que vous vous en aperceviez !

— Eh bien, je prendrai le téléphone et je vous appellerai pour vous demander conseil, voilà tout ! Oh Richard, ne soyez pas têtu ! L'acheteur éventuel risque de se rétracter s'il attend trop longtemps, ajouta-t-elle pour le convaincre.

— S'il y a déjà une proposition d'achat, il pourra y en avoir d'autres, rétorqua-t-il.

Richard n'allait pas se laisser persuader facilement ! Pendant tout le repas, Laurie argumenta, pria, supplia... Au moment du café, en bougonnant, le jeune homme capitula enfin.

— C'est bon. Mais promettez-moi de m'appeler si vous avez le moindre doute. Et ne signez rien avant de m'avoir envoyé une photocopie !

— Je vous le promets. Vous serez mon conseiller légal, assura-t-elle sur un ton apaisant.

Ils revinrent dans Fleet Street et s'arrêtèrent devant le bureau de Laurie.

— Cette histoire ne me plaît toujours pas, déclara Richard. Pourtant, une fois de plus, vous êtes parvenue à vos fins !

Laurie lui sourit avec espièglerie.

— C'est vrai ! Mais songez aux conséquences !

Elle lui posa un baiser sur la joue et partit en courant, toute joyeuse. Les cloches de l'église voisine sonnèrent deux coups.

Moins d'une semaine plus tard, Laurie avait quitté la capitale surpeuplée. A Munich, une petite Volkswagen de louage l'attendait... Grâce à Richard. Surmontant ses réticences, le jeune homme l'avait aidée de son mieux à préparer son voyage. Laurie avait écrit au notaire d'Ausbach pour lui annoncer son arrivée. Richard l'avait dûment munie d'une liste de « points importants à discuter ». Il avait réservé son billet d'avion, s'était assuré qu'elle n'oubliait rien, avait retenu la petite voiture à Munich... A l'aéroport encore, il lui avait fait toutes sortes de recommandations avant de l'embrasser pour lui dire au revoir.

Laurie s'était envolée avec un certain soulagement. Richard était délicieux, elle l'aimait beaucoup, mais il avait vraiment tendance à trop s'inquiéter ! Elle était presque contente de se retrouver seule...

Prudemment, car c'était la première fois qu'elle conduisait à droite, Laurie avait roulé entre des champs et des prairies verdoyantes. Les Alpes, massives et grises, se profilaient à l'horizon. Bientôt, la route se mit à monter et à tourner. D'innombrables voitures et caravanes se dirigeaient vers les stations touristiques de la montagne. A une heure, Laurie s'arrêta dans un petit restaurant construit à flanc de côteau. Sa carte routière sous le bras, elle choisit une table à l'extérieur. La vue était magnifique, mais assez terrifiante de prime abord : la terrasse était construite en surplomb, dominant le vide !

Une serveuse souriante, vêtue de la traditionnelle jupe tyrolienne, vint prendre sa commande. Puisqu'elle était en Autriche, Laurie décida de goûter à la fameuse escalope viennoise. En attendant son repas, elle consulta la carte routière. Ausbach était sûrement un très petit village : à peine un point sur la carte, relativement éloigné des coins les plus touristiques d'Autriche. La jeune fille devait en être à une heure environ. Une heure au cœur des montagnes majestueuses des Alpes...

Son délicieux déjeuner terminé, Laurie remonta en vitesse, et s'engagea sur une petite route assez étroite et tortueuse. Laurie franchit des ponts de pierre au-dessus de rivières tumultueuses, traversa des prairies à l'herbe haute où paissaient des troupeaux de vaches au cou orné de cloches métalliques. Les montagnes renvoyaient à l'infini l'écho des sonnailles. La jeune fille aurait pu s'arrêter cent fois. Tout était si nouveau, si attirant ! Mais elle avait hâte d'arriver et poursuivit sa route sans une halte.

Ausbach était encore plus pittoresque qu'elle ne l'avait imaginé. Une église au dôme en forme d'oignon dominait des petits chalets de bois ornés de fleurs de toutes les couleurs. Laurie poussa une exclamation ravie et freina en apercevant un abreuvoir à chevaux et une pompe à eau, à demi cachée sous des plantes grimpantes. Un coup de klaxon la fit repartir. Elle s'arrêta à nouveau un peu plus loin, dans un garage, pour demander comment se rendre chez le notaire.

Un mécanicien en combinaison de travail s'affairait sous le capot d'une grande Mercedes grise. Il s'essuya les mains sur un chiffon noir de graisse et s'avança vers elle.

— *Guten Tag, Fräulein.*

— Bonjour, monsieur. Je voudrais aller au bureau de *Herr* Kreuz. Pourriez-vous m'indiquer le chemin je vous prie ?

L'homme secoua la tête, en signe d'incompréhension.

— *Herr* Kreuz, dans Brunnerstrasse, répéta Laurie plus lentement. Dans quelle direction est-ce ?

Cette fois, il redit le nom après elle. Mais sa prononciation était fort différente ! Si seulement elle avait appris l'allemand au lycée ! Le mécanicien avait tendu le doigt, non pas pour indiquer une route, au grand désarroi de Laurie, mais pour lui désigner un homme, debout près de la porte du garage. La jeune fille lança un coup d'œil perplexe à son interlocuteur. Mais celui-ci insista et la poussa légèrement vers l'inconnu.

Assez gênée, elle se dirigea vers lui à pas lents. Il devait avoir environ trente ans et était vêtu avec une grande élégance. Mais surtout, il semblait chez lui dans ce paysage : il était immense et dominait Laurie de sa stature impressionnante, tout comme les Alpes surplombaient le village.

— *Fräulein ?*

Il avait parlé sur un ton d'extrême politesse, mais une lueur dansa dans ses yeux d'un bleu intense. Le désarroi de Laurie l'amusait visiblement.

— Excusez-moi, mais… Parlez-vous anglais ?

— Assez pour essayer de vous aider, *Fräulein.*

En fait, il n'avait pas même une pointe d'accent.

— Ah ! Tant mieux ! s'exclama-t-elle, soulagée. Le garagiste m'a envoyée à vous et je ne comprenais pas pourquoi ! Je lui ai demandé de m'indiquer le chemin pour aller chez *Herr* Kreuz, mais il ne parle pas anglais.

L'inconnu n'écouta pas la fin de ses explications. Au nom de *Herr* Kreuz, il avait paru surpris. Il observa Laurie plus attentivement.

— Vous n'êtes pas une touriste, *Fräulein ?*

— Eh bien, non, je suis ici pour affaires. Connaissez-vous la route, s'il vous plaît ?

— Oui, le bureau est tout près d'ici. Tournez à gauche en sortant du garage et prenez la deuxième rue à droite. Vous ne pourrez pas vous tromper. La maison du coin possède un double balcon et ses murs sont peints de motifs floraux. Le cabinet du notaire est un peu plus loin.

— Merci beaucoup, monsieur. Vous êtes très aimable.

— Je vous en prie, *Fräulein…*

Il s'inclina cérémonieusement, sans quitter Laurie des yeux. Celle-ci rougit et s'éloigna. Le regard de l'inconnu resta rivé sur elle un long moment.

Grâce à ses explications, elle n'eut aucun mal à trouver son chemin. Le « bureau » de *Herr* Kreuz était finalement une maisonnette de bois au toit en avancée.

Laurie pressa le bouton de sonnette et attendit. Un

chat, allongé au soleil, se leva en s'étirant et s'approcha à pas délicats pour inspecter la visiteuse. Sa fourrure ambrée resplendissait dans la lumière vive.

— Bonjour, chat! Parles-tu anglais? murmura Laurie en le caressant.

Le chat ronronna et se frotta contre sa jambe. C'était sans aucun doute un chat polyglotte. La porte s'ouvrit, et Laurie se redressa précipitamment. Une jolie jeune femme lui souriait.

— Bonjour... Parlez-vous anglais?

Cela devenait un véritable mot de passe! songea Laurie.

— Un peu. Etes-vous *Fräulein* Summers?

— En effet. Vous avez bien reçu ma lettre?

— Oui, oui! Entrez, je vous en prie.

La jeune femme s'effaça pour laisser passer Laurie. Elle la guida jusqu'à une pièce claire et agréable, plus proche d'une salle de séjour que d'un bureau.

— Asseyez-vous donc.

Les deux femmes s'installèrent et le chat bondit immédiatement sur les genoux de la jeune Anglaise.

— *Herr* Kreuz est-il là?

— Non, je suis désolée. Je voulais vous écrire, mais je n'en ai pas eu le temps. Votre lettre est arrivée hier seulement.

Laurie eut un petit geste désemparé.

— Pourquoi vouliez-vous m'écrire puisque je vous annonçais mon arrivée?

— Pour vous avertir. *Herr* Kreuz a dû se rendre à Vienne hier pour une affaire très importante. Il ne rentrera pas avant deux ou trois jours.

— Mais... Ne puis-je voir quelqu'un d'autre? N'a-t-il pas un associé?

— Non, il travaille seul. Si vous me laissez votre numéro de téléphone à l'hôtel, je vous appellerai dès son retour.

— Je n'ai pas encore réservé de chambre. Peut-être pourriez-vous me recommander un établissement correct ?

— Le meilleur est l'hôtel Erlenbach. Il est situé sur la place principale du village.

Laurie remercia la secrétaire et prit congé. L'absence du notaire la décevait beaucoup. Richard ne dirait pas « je vous avais prévenue », lorsqu'elle l'appellerait dans la soirée, mais il le penserait certainement. Elle poussa un soupir d'impatience en remontant en voiture.

L'hôtel Erlenbach était une vieille demeure massive. Un balcon de bois sculpté courait le long du premier étage. La porte d'entrée était grande ouverte. La saison touristique commençait à peine, et Laurie obtint une chambre sans difficulté.

Après s'être rafraîchie et changée, la jeune fille descendit pour dîner. Les clients étaient peu nombreux dans la grande salle à manger. Laurie s'installa près de la fenêtre et contempla la vallée et les pics enneigés tout en dégustant son repas. Ensuite, elle décida de téléphoner à Richard. L'hôtelier demanda le standard international, puis se tourna vers elle.

— Je suis désolé, *Fräulein,* mais il vous faudra patienter un peu. Voulez-vous aller au bar ? Vous y trouverez des magazines en anglais et je vous appellerai dès que votre communication sera établie.

Le bar était assez animé. Outre les clients de l'hôtel, plusieurs villageois étaient venus passer la soirée dans une ambiance joviale et chaleureuse. Un musicien jouait de l'accordéon, juste assez fort pour créer un fond sonore agréable sans gêner les conversations. Laurie se félicita d'être venue attendre ici au lieu de retourner dans sa chambre.

Les magazines dont lui avait parlé l'hôtelier étaient en fait des brochures touristiques, abondamment illustrées. En les admirant, la jeune fille se promit de visiter cette région splendide. Ausbach, apparemment, était un haut lieu de la randonnée alpine. De multiples cartes proposaient des itinéraires de promenades, pour les marcheurs aguerris comme pour les débutants. Ayant parcouru toutes les brochures, Laurie prit une de ces cartes et la déplia. C'était un plan à grande échelle du village et de ses environs. Le chalet légué par son grand-oncle y était-il indiqué ? Elle ne savait pas du tout où il était situé et le chercha longtemps. Sur le point d'abandonner, elle le trouva enfin.

Le chalet Alpenrose ! Il était à près de cinq kilomètres du village et aucune route n'y menait. La seule qui allât dans cette direction s'arrêtait à deux kilomètres environ. Ensuite, un pointillé indiquait sans doute un chemin, ou une piste. Le chemin bifurquait un moment, puis croisait une série de lignes très serrées sur la carte, signe d'une abrupte élévation du terrain. Au sommet de la pente, les contours d'un grand bâtiment étaient dessinés : le « *Schloss* Reistoven ».

Schloss, songea Laurie. C'était le mot allemand pour « château ». En venant à Ausbach, elle en avait aperçu un ou deux, vieux manoirs bardés de tourelles, posés sur un pic ou nichés dans le roc, à flanc de montagne. Celui-ci était-il en ruines, ou en avait-on fait un lieu de visite pour les touristes ? Elle irait volontiers voir cette forteresse en attendant le retour de Herr Kreuz.

Ses yeux se posèrent à nouveau sur le chalet Alpenrose, et elle se sourit intérieurement. Elle était propriétaire de ce petit point noir sur la carte ! Si seulement la route avait mené jusque-là ! Elle y serait allée dès le lendemain. Naturellement, le notaire devait avoir la clé, elle ne pourrait pas y rentrer. Mais tout de même... Elle étudia la carte plus attentivement. Le chalet était bâti sur une hauteur. Il dominait une vallée boisée. En louant un cheval, elle y arriverait facilement, et la promenade serait agréable. Pourquoi n'y avait-elle pas pensé plus tôt ?

Plongée dans ses projets, elle n'entendit pas *Herr* Gruber l'appeler. L'hôtelier répéta son nom plus fort. La communication avec l'Angleterre était établie.

La voix de Richard lui parvint, tout à fait claire.

— Laurie, êtes-vous bien arrivée ? Votre voyage s'est-il passé sans encombre ?

— Mais oui. J'ai été très prudente sur la route.

— Qu'a dit le notaire ?

Un petit mensonge ne nuirait à personne, décida la jeune fille.

— Nous ne discuterons de rien avant d'avoir vu la maison, déclara-t-elle. Je vais aller la visiter demain.

— Bien. N'oubliez pas, Laurie... Evitez toute précipitation, prenez votre temps et réfléchissez avant d'accepter quoique ce soit.

— C'est promis, assura-t-elle avec une pointe d'impatience. Je vous appellerai s'il y a du nouveau.

— D'accord. Portez-vous bien, ma chérie.

— Vous aussi. Au revoir !

Tenant toujours sa carte à la main, Laurie remonta dans sa chambre. Mais, une fois sur le balcon, elle oublia tout. Pendant près d'une heure, elle contempla les sommets enneigés qui se coloraient peu à peu, pour devenir rose vif tandis que le soleil disparaissait...

Le tintement des clochettes la réveilla à l'aube. On menait les vaches dans les alpages. Laurie enfila vivement une robe de chambre et ouvrit sa fenêtre. Il était à peine six heures, mais le soleil était déjà chaud. Les fleurs plantées sous sa balustrade embaumaient dans l'air du matin. Des abeilles bourdonnaient, actives dans les corolles multicolores.

Comment rester enfermée par un temps pareil ? En un clin d'œil, Laurie se doucha, enfila un jean et un chemisier, puis dévala l'escalier jusqu'à la salle à manger. Elle ne voulait pas perdre une minute de cette radieuse journée. Elle prit tout de même le temps de déguster son petit déjeuner, composé de brioches chaudes et croustillantes, de beurre de ferme et de café au lait crémeux à souhait.

Herr Gruber lisait le journal à la réception.

— Bonjour ! lança Laurie avec un sourire éblouissant.

L'hôtelier lui rendit son sourire, attendri par sa jeunesse et sa vitalité.

— *Guten Morgen, Fräulein !* Puis-je vous être utile ?

— Oui, s'il vous plaît. Je voudrais louer un cheval...

Herr Gruber haussa les sourcils devant cette requête inattendue.

— Voyons, laissez-moi réfléchir. Il n'y a pas de club d'équitation par ici, *Fräulein,* mais un de mes amis, Hans Schneider possède une ferme en dehors du village. Il a un cheval et acceptera peut-être de vous le prêter s'il n'en a pas besoin aujourd'hui.

— A-t-il le téléphone ? Pouvez-vous l'appeler ?

— Je vais essayer, *Fräulein*...

Il composa le numéro et parla longuement à son ami. Après avoir raccroché, il se tourna vers Laurie en hochant la tête.

— C'est d'accord. Hans est prêt à vous laisser son cheval si vous êtes sûre de savoir le monter. C'est un jeune animal, assez fougueux.

— Je verrai sur place. Pouvez-vous me préparer quelques sandwiches ? Je ne rentrerai pas avant ce soir.

La jeune fille monta changer de chaussures puis prit le paquet préparé par la cuisinière de l'hôtel. *Herr* Gruber lui avait dessiné un plan pour lui indiquer l'emplacement de la ferme. Elle emporta aussi la carte du village et des environs.

Hans Schneider l'attendait à l'écurie. Le cheval, un

jeune animal bai, avait une longue crinière flottante. Laurie s'approcha de lui et lui parla doucement en le flattant. Il eut un mouvement de recul, mais se calma bien vite. Le fermier, satisfait, demanda au garçon d'écurie de le seller.

Laurie revint vers le village en longeant des bois de pins. Elle était parfaitement à l'aise en selle et se réjouissait fort de cette promenade. Avant d'atteindre les premières maisons, elle consulta sa carte. Un chemin lui permettait d'éviter l'agglomération. Elle traverserait la forêt, passerait au-dessus du château et tournerait ensuite vers le nord-est pour rejoindre la piste menant au chalet.

La matinée s'avançant, le soleil devenait plus chaud. Heureusement, la forêt était touffue et la protégeait des rayons trop ardents. Le cheval trottait avec assurance dans le sous-bois, faisant craquer les brindilles sèches sous ses sabots. Le terrain montait fortement à présent et une fois ou deux, Laurie descendit de sa monture pour l'aider à franchir un raidillon. De nombreux cours d'eau, limpides et glacés, traversaient leur route. Des lapins, et même un daim, s'enfuirent à leur approche. Mais pas un être humain en vue... Laurie était seule et s'en félicitait.

Enfin, ils émergèrent des bois sombres. Niché au creux de la vallée, à une centaine de mètres plus bas, Ausbach ressemblait à un groupe de maisons de poupées, pimpant et coquet.

— Allons, mon beau, nous serons bientôt arrivés.

Le cheval dressa les oreilles et obéit. Après une nouvelle montée assez rude, ils débouchèrent sur une petite clairière. Laurie poussa une exclamation de ravissement. Une cabane de rondins se dressait au centre. La jeune fille attacha sa monture à un arbre et s'approcha lentement. La cabane était-elle habitée ? Elle frappa à la porte mais personne ne répondit.

Prenant son courage à deux mains, Laurie souleva le loquet. La maisonnette était déserte. Elle devait servir de refuge en hiver.

Sa curiosité satisfaite, elle ressortit. Un ruisseau coulait tout à côté. Laurie en profita pour faire boire son cheval et décida de s'installer là pour pique-niquer. Le grand air lui avait ouvert l'appétit : elle dévora avec plaisir les savoureux sandwiches de son déjeuner. Poussant enfin un soupir de satisfaction, elle regarda autour d'elle. Tout à coup, un éclair de lumière attira son attention. Puis un autre. Cela venait de la direction opposée au village. Elle cligna des yeux et aperçut un grand bâtiment orné de tourelles et de créneaux, un château de contes de fées, enchâssé comme un joyau dans ce paysage de rêve. Ce devait être le *Schloss* Reistoven. A nouveau, une lumière étincela et disparut. Un reflet de soleil sur un objet brillant, sans doute. Mais ce ne pouvait pas être une fenêtre. Non, il semblait en fait y avoir deux éclairs parallèles.

D'un bond, Laurie courut prendre ses jumelles accrochées à la selle. Mais oui ! Elle ne s'était pas trompée ! Quelqu'un l'observait du château avec des jumelles ! Le miroitement s'immobilisa, puis disparut. Le curieux avait dû abandonner son poste en se voyant repéré à son tour.

Laurie attendit encore quelques instants, et revint s'asseoir au bord de l'eau. Les fleurs sauvages embaumaient, dans l'air chaud et immobile. Des papillons voletaient à la surface du ruisseau, et les oiseaux pépiaient sans fin dans les branches. Laurie s'allongea. Le soleil lui tenait chaud, comme une couverture de plumes, légère et enveloppante... Sans même s'en rendre compte, elle s'assoupit.

Eut-elle conscience d'un danger ? Ou peut-être, tout simplement, une ombre se profila-t-elle entre le soleil et elle... Laurie se réveilla brutalement. Un homme était debout, tout près d'elle. La jeune fille se redressa, des brins d'herbe accrochés à ses boucles brunes. Avec un immense soulagement, elle reconnut l'intrus : c'était l'homme du garage, celui qui lui avait indiqué sa route, la veille.

Gigantesque, le regard impénétrable, il la dévisageait.

— Tiens ! tiens ! La jeune dame anglaise !...

Il remarqua alors ses yeux agrandis de frayeur.

— ... Je suis navré, je ne voulais pas vous faire peur, s'excusa-t-il.

— Je... Ce n'est rien. Je me suis réveillée en sursaut...

Laurie se leva en trébuchant. L'émotion lui avait coupé le souffle, et son cœur battait à tout rompre.

L'homme sourit imperceptiblement.

— Je venais chasser un importun, et je découvre la Belle au bois dormant !

— Un importun ? Suis-je donc sur une propriété privée ? s'écria Laurie.

— Je le crains, *Fräulein*. Vous vous êtes enfoncée à un bon kilomètre à l'intérieur des terres von Reistoven.

— Oh ! Je suis désolée ! J'ignorais tout à fait... Il n'y a pas de barrières, aucun panneau... Et la carte n'indiquait rien de tel.

— Vous ne vous êtes donc pas perdue ? Vous veniez ici intentionnellement ?

— Mais oui, je voulais aller de l'autre côté du château et puis j'ai découvert cette clairière ; c'était si joli... Mais comment avez-vous deviné ma présence ?...

Elle s'interrompit en se souvenant de l'observateur armé de jumelles.

Comme s'il lisait dans ses pensées, l'inconnu fit un petit geste.

— Pardonnez-moi, *Fräulein*, de nombreux touristes rôdent dans ces bois et les dégradent. Nous essayons de les en décourager... Mais vous vous rendiez quelque part, m'avez-vous dit ?

— Oui, au chalet Alpenrose. Je vais poursuivre mon chemin tout de suite.

Laurie recula d'un pas, mais il la retint.

— Ainsi, je ne m'étais pas trompé, hier ; vous êtes la nièce de *Herr* Canning ?

— Sa petite-nièce, exactement, répondit Laurie stupéfaite. Mais comment le savez-vous ?

— *Herr* Canning a légué sa... heu... sa propriété à une jeune Anglaise, et *Herr* Kreuz, son notaire, s'est occupé de cette affaire. Aussi, lorsque vous m'avez demandé le chemin de son bureau, j'ai fait le rapprochement...

— Vous avez vu juste. Connaissiez-vous bien mon grand-oncle, *Herr*... ?

— Mille excuses, *Fräulein*, je ne me suis pas présenté. Max von Reistoven.

Il s'inclina légèrement.

— Von Reistoven ? N'est-ce pas le nom du château ?

— Le *Schloss* Reistoven, oui. On le voit très bien d'ici, surtout avec des jumelles, ajouta-t-il avec une petite grimace amusée.

— C'est votre faute, vous m'avez observé le premier, rétorqua-t-elle gentiment. Vous... Vous êtes vraiment le propriétaire de cet endroit magnifique ?

Max von Reistoven eut un sourire énigmatique.

— Il appartient à ma famille. Mais vous alliez voir votre propre héritage, m'avez-vous dit ? Qu'en avez-vous pensé ?

— Je ne l'ai pas encore visité. *Herr* Kreuz est à Vienne pour deux ou trois jours, et je n'ai pas les clés. Mais je pourrai toujours voir le chalet de l'extérieur.

— Ainsi, vous n'avez pas encore rencontré *Herr* Kreuz, murmura-t-il... Me permettrez-vous de vous escorter ? La maison est facile à trouver, mais vous risqueriez de croiser un de mes gardes forestiers et ils ont ordre de chasser les touristes.

— Vous êtes très aimable, *Herr* von Reistoven... Je ne voudrais pas vous déranger.

Laurie, perplexe, ne savait pas si elle devait accepter cette proposition.

— Nullement, *Fräulein*. Laissez-moi m'occuper de votre cheval.

Sans écouter les protestations de la jeune fille, il resserra les sangles de la selle. Laurie en profita pour l'observer. Il n'était pas exactement beau... Son visage était trop puissant. Il avait un menton ferme et volontaire et des pommettes saillantes. Une épaisse mèche de cheveux blonds balayait son front haut.

— Mais vous ne m'avez pas dit votre nom, *Fräulein* ?

Laurie sursauta. Il s'était senti observé et la toisait avec ironie.

— Summers. Laurie Summers.

— C'est un bel animal, remarqua-t-il en flattant le cheval. Il doit être assez fougueux. Etes-vous sûre de pouvoir le monter, *Fräulein* Summers ?

Mortifiée, elle se redressa.

— Tout à fait sûre, *Herr* von Reistoven.

Un éclat de rire dansant dans ses yeux bleus, il fit une mimique effrayée.

— Je vous demande humblement pardon !

La jeune fille rit de bon cœur. La monture de Max von Reistoven était attachée à un arbre. C'était un étalon splendide, immense, à la robe noire comme du jais.

— Quelle belle bête !... Etes-vous sûr de pouvoir le monter ? s'enquit-elle d'un air faussement innocent.

Max von Reistoven sembla se figer sur place. Puis il se retourna et saisit la bride du cheval monté par Laurie.

— Vous avez donc des griffes ?

— Veuillez retirer votre main immédiatement, ordonna Laurie d'une voix ferme.

— Ah! murmura-t-il, j'avais oublié! Les Anglais sont obstinés, et les membres de votre famille tout particulièrement.

— Vous avez dû bien connaître mon grand-oncle! s'amusa Laurie. Etiez-vous amis?

— Non, répondit-il lentement, nous n'étions pas amis.

Ils se mirent en route. De temps à autre, l'Autrichien indiquait des endroits intéressants à sa compagne. Ils arrivèrent en vue d'un bois de jeunes pins soigneusement plantés en lignes espacées. Pas une seule mauvaise herbe ne poussait entre les arbustes.

— Cela fait partie du programme de reboisement, expliqua-t-il. Nous replantons un arbre pour chaque pin abattu. Ainsi, ils sont remplacés progressivement, à moins d'être attaqués par des maladies ou étouffés par une végétation surabondante. Comme ceci.

Du doigt, il lui montrait un lopin de terre surchargé d'arbres et de buissons touffus. Les branches semblaient s'étirer vers le ciel pour respirer un peu. Du lierre et des lianes crochues s'enchevêtraient sur leurs troncs.

— Mais pourquoi ne nettoyez-vous pas ici aussi? s'exclama Laurie.

— Parce que, *Fräulein* Summers, ceci est le début de votre propriété.

2

Etourdie par le choc, Laurie fixa le bois moribond. Aucun mot n'aurait pu exprimer son sentiment. Elle se contenta de pousser son cheval. Une tranchée, creusée en guise de pare-feu, servait de frontière entre les deux domaines.

— Y a-t-il un chemin pour traverser ? demanda-t-elle d'une voix sourde.

— Si mes souvenirs sont bons, il doit exister un sentier sur la gauche.

Ils s'engagèrent sur une piste à demi effacée. Des branches basses gênaient continuellement leur progression. Au bout de dix minutes environ, ils débouchèrent dans une ancienne prairie laissée à l'abandon. Des herbes folles atteignaient presque le ventre des chevaux. Au bout, le chalet de bois sombre se dressait sur une petite esplanade. Un ruisseau bordé de fleurs sauvages courait doucement le long de la pente.

Laurie poussa un soupir extasié. On aurait dit un paysage de carte postale. Le soleil illuminait la vallée paisible. Les cloches des vaches tintaient de toutes parts, leur son semblait rebondir sur les flancs verdoyants des montagnes. Les fleurs mêlaient leurs parfums et leurs couleurs. Et le chalet ! Laurie talonna sa monture, couvant la petite maison des yeux. Un escalier extérieur montait à un balcon de bois sculpté au premier étage. Des volets encadraient les fenêtres, et le toit faisait une large avancée. Max von Reistoven l'avait rejointe. Il étudiait son visage resplendissant de plaisir et d'émotion.

Ils s'approchèrent davantage, et Laurie vit plus précisément son héritage. Certes, le soleil miroitait sur les fenêtres, mais la plupart d'entre elles étaient cassées, et les volets pendaient lamentablement. Quelques poutres du toit s'étaient détachées et étaient tombées à terre. Un trou béant fendait la toiture. Le ravissant balcon était gondolé et percé par endroits.

— Pourquoi ne m'avez-vous pas prévenue ? chuchota Laurie, la gorge nouée.

— J'ai jugé préférable de vous laisser découvrir la réalité toute seule, répondit-il gentiment.

— C'est presque une ruine !

— Hélas, oui. Désirez-vous entrer ?

— Est-ce possible ?

— Cela ne devrait pas poser trop de difficultés.

Ils mirent pied à terre, et Max von Reistoven attacha les chevaux à un poteau.

— Je vais passer devant, décida-t-il. Les marches sont peu sûres.

— Pourquoi n'entrons-nous pas par le rez-de-chaussée ? s'étonna Laurie.

— Il servait uniquement à abriter le bétail durant l'hiver, expliqua Max.

— Comment ? Les gens vivaient au-dessus des bêtes ?

Laurie était horrifiée. Max sourit.

— C'était un bon moyen de chauffer la maison. De nombreux paysans vivent encore ainsi. Mais votre grand-oncle, je crois, n'a jamais utilisé cette pièce si ce n'est pour ranger du bois et des provisions pour l'hiver. Prenez garde à cette marche, elle n'est pas solide…

Il avait atteint le premier étage. Passant son bras par un carreau cassé, il souleva le loquet et poussa le battant sans difficulté. D'un bond, il fut à l'intérieur.

— Tout va bien, aucun vagabond n'y a élu résidence.

— Mon Dieu ! Je n'avais pas pensé à cela ! Nous ne sommes pas les premiers à pénétrer ici, d'après vous ?

— Cela ne m'étonnerait guère. Ici, c'est la chambre à coucher. Vous voyez cette alcôve, là-bas, près de la cheminée ? C'était probablement le lit des enfants.

Laurie s'approcha. Avec son sommier de planches, le lit ne paraissait pas très confortable. Mais des lambeaux de rideaux bariolés pendaient encore des crochets de cuivre.

— Il y avait sans doute également un grand lit en bois sculpté pour les parents, un fauteuil et une commode. Ainsi qu'un grand coffre dans lequel l'épouse gardait précieusement la lingerie de sa dot.

Laurie contempla la pièce nue, essayant de l'imaginer telle qu'elle avait été autrefois. Une femme avait dû broder un couvre-lit tout blanc et accrocher des rideaux pimpants aux fenêtres. L'air sentait alors les fleurs fraîchement coupées, et non l'humidité et le moisi...

Max von Reistoven ouvrit une porte. C'était manifestement une cuisine-salle de séjour. Tout était sale, vieux, abandonné... Laurie frissonna. Une toile d'araignée l'avait effleurée.

— *Herr* Canning avait construit un petit cabinet de toilette dans la chambre, je crois. Mais bien entendu, il fallait transporter l'eau de la rivière et la réchauffer sur le fourneau.

— Voulez-vous dire que mon grand-oncle a vraiment vécu ici ?

— Oui, pendant quelques années ; jusqu'à la mort de sa femme. Bien entendu, ils avaient une servante... Voyez, cet escalier mène au grenier, où la domestique devait avoir sa chambre. Voulez-vous y monter ?

— C'est sans doute préférable, répondit Laurie d'une voix hésitante.

L'escalier était étroit et tortueux. Max von Reistoven eut du mal à passer. Laurie, plus menue, le rejoignit sans peine. La pièce au toit très bas était mansardée. Seule une petite lucarne venait l'éclairer... Ainsi, bien sûr, que le trou de la toiture. De nombreux oiseaux avaient élu domicile dans les poutres. Le sol était tapissé de plumes et de brindilles.

Laurie croisa les bras en frissonnant.

— J'en ai assez vu à présent, merci.

Le grand air et le soleil du dehors la rassérénèrent. Elle s'assit dans l'herbe et contempla la pauvre maison en ruine. Comme elle avait dû être jolie ! Max von Reistoven s'était assis à côté d'elle et l'observait d'un air pensif.

— Je vous en prie, racontez-moi ce qui s'est passé, lui demanda-t-elle. Pourquoi Oncle Howard a-t-il laissé la maison se dégrader à ce point ?

— *Herr* Canning était un vieil homme, *Fräulein*. Et il était également terriblement têtu. Cette maison et le terrain alentour constituaient la dot de sa femme. Elle disposait aussi d'une pension annuelle, grâce à laquelle ils payaient leur domestique et l'entretien de la propriété. Mais à la mort de votre tante, les revenus ont cessé. Si votre grand-oncle avait... s'il avait accepté les conseils et l'aide de son entourage, il aurait pu cultiver la terre et la rentabiliser. Mais, comme je vous l'ai déjà dit, il était obstiné et insistait pour tout faire à sa façon. On n'exploite pas une ferme montagnarde en Autriche comme un domaine de la plaine anglaise. Il a donc perdu beaucoup d'argent. Bientôt, il a dû renvoyer sa servante. Puis un glissement de terrain a bloqué provisoirement le ruisseau, le privant d'eau....

Il jeta brusquement d'un air irrité l'herbe qu'il mordillait tout en parlant.

— ... Malgré tout, ce vieux fou... ce vieil entêté, se reprit-il vivement, continuait à refuser toute aide. Il accusait ses voisins d'être à l'origine de tous ses maux. Finalement, il a été obligé de partir pour aller s'installer à Ausbach. Mais il avait interdit à quiconque de s'occuper de ses terres. Le résultat, vous l'avez vu. En quelques années, les mauvaises herbes et les parasites ont gagné du terrain, tué les plantations et les jeunes arbres, acheva-t-il sur un ton véhément.

— Je... Je vois. L'offre d'achat vient de vous, n'est-ce pas ?

Le jeune homme sourit amèrement.

— Est-ce donc si évident ? Excusez-moi, je n'avais pas l'intention de... Oui, je l'avoue, ce bout de terrain me met en rage depuis des années et quand j'ai appris que *Herr* Canning vous l'avait légué... Cela m'a paru être une excellente occasion de racheter cette terre et de l'assainir.

— Et la maison ? s'enquit Laurie avec curiosité. Qu'aviez-vous l'intention d'en faire ?

— Le fils d'un de mes gardes forestiers doit se marier prochainement. J'aurais fait réparer le chalet pour qu'il puisse s'y installer.

— Alors vous ne le détruiriez pas ?

La réponse à cette question avait une importance cruciale pour Laurie. Son compagnon la dévisagea en fronçant légèrement les sourcils. Puis il la rassura d'un sourire.

— Non, certainement pas. Trop de souvenirs sont attachés à cette demeure.

— Tant mieux, soupira-t-elle.

— Vous envisagez donc de me la vendre ?

La jeune fille se tourna vers la maisonnette.

— Je n'ai guère le choix, me semble-t-il. Personne ne voudra l'acheter dans cet état, et cela me coûterait une fortune de la faire réparer. D'une certaine façon, c'est une chance pour moi qu'elle vous cause tant de souci !...

Elle s'interrompit brusquement. Richard serait furieux de l'entendre parler ainsi !

— Mais je ferai procéder à une contre-expertise, bien entendu, ajouta-t-elle précipitamment.

— Bien entendu, répéta gravement son compagnon.

Le ton de sa voix attira l'attention de la jeune fille. Elle leva vivement les yeux vers lui. Il semblait avoir du mal à garder son sérieux. Elle rit de bon cœur.

— Quelle phrase pompeuse ! avoua-t-elle avec bonne humeur.

— Mais très appropriée ! Qui vous l'a suggérée ? Votre père ?

Laurie inclina la tête d'un air espiègle.

— Et pourquoi n'y aurais-je pas pensé toute seule ?

Il rit aussi et d'un doigt lui releva le menton.

— Parce que vous êtes bien trop jeune et trop jolie pour avoir en tête ce jargon administratif ! Alors ! Qui vous l'a dit ?

Elle rougit de plaisir devant ce compliment.

— C'est Richard, mon fiancé. Il est avocat et m'a dressé toute une liste de recommandations avant mon départ. Il m'a...

Elle s'interrompit brutalement. Max von Reistoven ne souriait plus du tout.

— Votre fiancé ? répéta-t-il. Mais vous ne portez pas de bague !

— Non, nous ne sommes pas officiellement fiancés, voyez-vous, c'est... C'est une sorte d'accord tacite...

Laurie battit des cils, puis poursuivit.

— ... C'est pourquoi cet héritage est un véritable don du ciel ; vous comprenez, nous n'aurons plus besoin d'attendre. Nous pourrons nous marier très vite.

Max s'était relevé et lui tournait le dos.

— Voilà donc l'explication de votre hâte, murmura-t-il comme pour lui-même. Pourquoi votre... fiancé ne vous a-t-il pas accompagnée ?

— Il ne pouvait pas se libérer. Il s'occupe d'un procès très important.

Laurie s'était relevée à son tour. Toute sympathie avait disparu du visage de son compagnon.

— Etes-vous satisfaite de cette visite ? interrogea-t-il.

— Oui, merci.

— Dans ce cas, vous feriez mieux de retourner à votre hôtel. Où êtes-vous descendue ?

— A l'hôtel Erlenbach.

— Ah ! Le propriétaire pourra certainement vous recommander un expert. Sans doute serez-vous d'accord avec moi pour conclure cette affaire le plus tôt possible ?

— Mais certainement.

Il l'aida à remonter sur son cheval. Laurie était perplexe. Pourquoi avait-il changé d'attitude envers elle ? Elle l'avait trouvé de compagnie agréable et s'était réjouie de découvrir en lui l'acheteur éventuel du chalet. Elle se sentait à l'aise avec lui et le trouvait plaisant. Et subitement, il était devenu froid, il se comportait à présent avec une politesse indifférente.

Il la précéda jusqu'à un croisement. Un chemin descendait dans la vallée, et l'autre remontait sur la colline, vers les hauts murs du château.

— Nous nous séparons ici, déclara-t-il. Avant de vous quitter, j'aimerais insister sur un point, si vous me le permettez. Votre grand-oncle était vraiment âgé et... quelque peu sénile les derniers temps. Il a repoussé toutes les offres d'aide et s'est comporté en homme persécuté. *Herr* Kreuz, j'en suis sûr, vous en dira davantage lorsque vous le rencontrerez. Mais je vous serai reconnaissant de bien vouloir garder l'esprit ouvert en l'écoutant.

Assez étonnée par son ton pressant, Laurie hocha la tête.

— Mais oui, bien sûr, répondit-elle.

... Après avoir ramené son cheval à Hans Schneider, Laurie rentra à l'hôtel. *Herr* Gruber connaissait un expert qui parlait anglais. La jeune fille lui téléphona immédiatement. L'expert se montra tout à fait charmant. Il accepta de se rendre au chalet dès le lendemain et de lui envoyer son rapport le jour suivant.

Enchantée par tant de rapidité, elle monta dans sa chambre. Sa journée l'avait fatiguée et elle se réjouissait à l'idée de passer la soirée allongée sur son lit avec un bon livre.

Elle descendit tout de même pour le dîner, mais elle ne s'attarda pas et se dirigea tout de suite après vers l'escalier. *Herr* Gruber l'appela au moment où elle posait le pied sur la première marche : on la demandait au téléphone.

Elle courut à la petite cabine et saisit le combiné.

— Richard ! C'est vous mon chéri ?

Il y eut un bref silence, puis une voix virile et profonde parla lentement.

— Je suis désolé de vous décevoir, *Fräulein*, mais c'est Max von Reistoven à l'appareil. Avez-vous pu trouver un expert ?

— Oh !... Oui, j'en ai trouvé un.

Laurie lui expliqua rapidement la situation.

— Je vois. Si vous n'aviez rien prévu pour demain, peut-être me permettrez-vous de vous faire visiter un peu le Tyrol ? Vous n'êtes pas encore allée vous promener sur les cimes, je crois ?

— Eh bien... non, en effet... Mais vraiment, *Herr* von Reistoven, il est inutile de vous donner tant de mal. Je serai...

— Tout le plaisir sera pour moi, *Fräulein*. Je viendrai vous chercher à... disons neuf heures trente ?

— M... Merci, ce sera parfait.

Abasourdie, Laurie remonta dans sa chambre et se mit au lit. Son livre oublié, elle resta allongée dans le noir, les yeux fixés sur les rais de lune filtrés par les volets. Quelle journée étrange ! D'abord ravie en apercevant son chalet, elle avait ensuite été terriblement déçue par son état de délabrement. Et Max von Reistoven, charmant de prime abord, s'était transformé du tout au tout lorsqu'elle lui avait parlé de son fiancé... Mais pourquoi ? Craignait-il que Richard s'interpose et crée des complications au moment de la vente ?

Enfin... En tout cas, il avait surmonté sa mauvaise humeur et l'avait invitée à sortir le lendemain. Au sommet des montagnes !... Les yeux pleins d'images, Laurie s'endormit.

La grande Mercedes grise vint se ranger dans la cour de l'hôtel à l'heure dite. Un peu inquiète, Laurie descendit les marches et alla à la rencontre de Max von Reistoven. Pourtant, elle se rassura vite : Max lui sourit chaleureusement et l'installa confortablement avant de démarrer. Il choisit des routes secondaires, peu fréquentées, traversant des villages pittoresques et des montagnes de plus en plus hautes. Il conduisait assez vite, mais avec assurance. Laurie se sentait parfaitement en confiance avec lui.

Enfin, ils s'arrêtèrent devant une station de téléphérique, au pied d'un des plus hauts sommets.

— Allons-nous vraiment monter là-dedans ? s'inquiéta Laurie.

Les filins retenant la petite cabine semblaient dangereusement fragiles, vus de la station.

— N'ayez crainte, la rassura Max en souriant.

Une dizaine de personnes attendait déjà. De nombreuses têtes se tournèrent vers les jeunes gens. Max était vêtu d'un léger costume d'été très élégant. Son allure fière et désinvolte lui attirait la déférence de tous ceux qu'il approchait.

Laurie n'oublierait jamais la montée en téléphérique. Les premiers instants furent assez impressionnants, mais bientôt, le panorama extraordinaire lui fit oublier ses craintes.

Arrivés en haut, ils empruntèrent des chemins taillés dans le roc. Des edelweiss poussaient au milieu d'autres fleurs moins rares, accrochées au bord de ravins et de précipices terrifiants.

Soudain, une épaisse brume leur cacha le soleil et les enveloppa dans sa grisaille. Laurie enfila vivement son gilet.

— Oh ! Ce brouillard est bien humide ! Je sens des gouttelettes sur mon visage et mes cheveux !

— Ce n'est pas du brouillard, rétorqua Max en souriant. Vous êtes dans un nuage. Venez, je vais vous montrer !

Il la conduisit jusqu'à une esplanade en surplomb au-dessus du vide. On avait construit un mur pour la sécurité des visiteurs. Ils s'y accoudèrent.

— Regardez bien. Vous allez bientôt voir à travers le nuage.

Il s'approcha d'elle et laissa sa main reposer légèrement sur son épaule tandis qu'il lui indiquait la bonne direction. Sa main était chaude et ferme. Laurie, distraite, mit quelques instants à prendre conscience du spectacle. Le nuage s'était comme effiloché. Puis subitement, une percée s'ouvrit dans la masse brumeuse et le soleil brilla à nouveau... *sous eux !* Tout au fond de la vallée, un minuscule village se blottissait frileusement entre les flancs escarpés de la montagne. On aurait dit une peinture miniature, un tableau encadré de coton gris argent.

Une brise légère chassa le nuage vers d'autres

sommets et Laurie se tourna vers Max, une question sur les lèvres. Mais elle resta muette, car il l'observait attentivement, d'un air pensif. Presque aussitôt, il changea d'expression et lui suggéra d'aller déjeuner dans un hôtel non loin de là.

La salle à manger, immense, était meublée de longues tables et de bancs de bois. Max commanda simplement de la soupe, sous le regard étonné de sa compagne. Cela lui paraissait bien insuffisant ! La servante apporta une grande soupière fumante et deux bols. Puis, tandis que Max commençait à servir, elle revint avec un panier plein de tranches de pain grillé et une énorme motte de beurre.

La soupe de légumes était épaisse et délicieuse. Les deux jeunes gens avaient grand faim, mais ils n'arrivèrent pas au bout de la soupière.

— Ouf ! Sert-on toujours des portions pareilles ? s'exclama Laurie en reposant sa cuiller.

— La plupart des clients sont des alpinistes ou des marcheurs, c'est pourquoi on leur sert cette soupe très nourrissante. Les hôtels de montagne en Autriche servent les meilleures soupes du pays.

L'après-midi, ils visitèrent un second pic. Cette fois, ils empruntèrent un funiculaire. Les trois wagons cahotaient et peinaient sur les rails en zigzag. Ils s'arrêtaient souvent pour laisser monter des marcheurs épuisés. Ceux-ci s'affalaient avec soulagement dans les sièges de bois.

Il était fort tard lorsqu'ils redescendirent enfin de la montagne ; l'heure, pensait Laurie, de rentrer à Ausbach. Mais Max l'emmena dîner dans une vieille auberge tyrolienne. Le plafond de la salle avait des poutres imposantes. Des tables recouvertes de nappes à carreaux rouges et blancs entouraient un espace vide. Le repas exquis et le vin firent merveille pour détendre les deux convives. Laurie, tout à fait à l'aise, répondit volontiers aux questions de Max sur sa vie en Angleterre.

Après le dîner, un présentateur s'avança sur l'espace central : le spectacle allait commencer. Un groupe de danseurs folkloriques fit son entrée. Les jeunes filles portaient de larges jupes aux couleurs vives et des blouses blanches merveilleusement brodées. Des coiffes de dentelle aériennes encadraient leur visage. Puis, des jeunes gens vinrent rivaliser d'adresse et de force dans de nombreux jeux. Les spectateurs apprécièrent tout particulièrement la compétition entre un homme armé d'une scie et un autre muni d'une hache. Tous deux devaient débiter une bûche le plus vite possible. Des cris enthousiastes saluèrent la victoire de l'homme à la hache.

Laurie, quant à elle, aima par-dessus tout le lancer de drapeau exécuté par deux Tyroliens en culotte de peau grise et chemise ample. Les drapeaux d'Autriche et du Tyrol s'envolaient dans les airs, tournoyaient en claquant et, attrapés au vol, repartaient sans jamais tomber à terre. Leurs chaudes couleurs rayonnaient dans la salle faiblement éclairée ; la toile fouettait l'air. Puis, ils s'arrêtèrent brusquement, et le restaurant fut plongé dans le silence. Du dehors, très distinctement, leur parvint le son du cor alpin. Sa note unique, profonde et mélancolique se répercutait à l'infini d'un bout à l'autre des montagnes.

Laurie, étrangement émue par cette cérémonie si ancienne et si simple, resta immobile quelques instants. Lorsqu'elle leva les yeux vers Max, elle croisa son regard empreint d'une grande gentillesse. La jeune fille rougit légèrement : cette soirée, si nouvelle et extraordinaire pour elle, devait sembler bien banale à son compagnon ! Il se montrait aimable avec elle parce qu'elle était une étrangère dans son pays... Elle ne connaissait personne, ne parlait pas même la langue. Oui, c'était pour cette raison, et pour aucune autre.

Il se leva et l'aida galamment à quitter la table. Il était temps de partir.

Une petite veilleuse éclairait seule l'entrée de l'hôtel lorsqu'ils y arrivèrent. Laurie tendit la main au jeune homme.

— Merci, dit-elle. J'ai passé une journée vraiment merveilleuse.

Max prit la main tendue, mais au lieu de la serrer, il la porta brièvement à ses lèvres.

— Vous savez, *Fräulein,* si j'étais votre fiancé, ces fiançailles seraient tout à fait officielles... et très, très courtes ! dit-il.

Puis il se détourna précipitamment pour regagner sa voiture.

Le rapport de l'expert attendait Laurie lorsqu'elle descendit le lendemain matin. Elle le lut avec une grande satisfaction : la propriété était évaluée à un prix légèrement inférieur à celui proposé par Max von Reistoven. Ainsi, le notaire avait dit juste : l'offre de Max était raisonnable. Cela accrut son impatience.

Dans la matinée, elle se rendit à son cabinet. La secrétaire l'informa du retour de *Herr* Kreuz dans la journée. Laurie prit rendez-vous avec lui pour trois heures, puis alla se promener dans les villages alentours. Elle revint à Ausbach juste à temps pour rencontrer le notaire.

Herr Kreuz était un homme assez âgé, tout mince. Il portait d'épaisses lunettes rondes et ne cessait de regarder par-dessus. Il accueillit cordialement Laurie et s'installa à sa table de travail.

Outre le chalet et les terres qu'il lui léguait, apprit-il à la jeune fille, son grand-oncle avait contracté une petite assurance-vie en sa faveur.

— Dans ma lettre, je vous informais d'une proposition d'achat concernant le chalet, poursuivit le notaire. Mais lorsque vous aurez vu la propriété, peut-être...

— Je l'ai déjà vue, l'interrompit Laurie. J'y suis allée l'autre jour. Devant l'état des lieux, j'ai fait procéder à une contre-expertise. Voici le rapport.

Herr Kreuz repoussa ses lunettes sur son nez et lut attentivement le document.

— Qui vous a donné le nom de ce cabinet d'expertise, *Fräulein* ?

— *Herr* Gruber, l'hôtelier. L'évaluation correspond assez bien à l'offre de *Herr* von Reistoven, aussi, je ne vois pas...

— Mais comment avez-vous su que *Herr* von Reistoven était l'acheteur éventuel ? s'enquit *Herr* Kreuz d'un ton sec.

— Je l'ai rencontré tout à fait par hasard en allant au chalet, et il me l'a dit. J'étais prête à accepter son offre si elle s'accordait à la contre-expertise, je l'en ai déjà informé. Donc,...

Le notaire la fixa d'un air inquiet.

— Vous paraissez bien pressée, *Fräulein* Summers.

— Eh bien, il n'y a aucune raison de retarder la conclusion de cette affaire, à mon avis. Je dispose de fort peu de temps.

— Mais vous ne connaissez pas toutes les circonstances. Votre grand-oncle était en très mauvais termes avec Max von Reistoven. Il n'aurait peut-être pas apprécié de vous voir lui vendre cette propriété.

Etonnée, Laurie l'interrogea du regard.

— Vous m'avez vous-même parlé de cette offre !

— C'était de mon devoir. Cependant, j'avais l'intention de vous expliquer toute la situation avant de vous laisser prendre une décision. Voyez-vous...

— Il est inutile d'entrer dans les détails, *Herr* Kreuz. Je suis déjà au courant de l'inimitié entre Max von

Reistoven et mon grand-oncle. Celui-ci semblait souffrir d'un complexe de persécution à son égard.

— Qui vous a dit cela ?

— *Herr* von Reistoven lui-même. Il s'est montré très franc. Mon grand-oncle n'a inclus aucune clause spéciale dans son testament, n'est-ce pas ?

— Non, vous pouvez disposer de votre héritage comme bon vous semble.

— Dans ce cas, auriez-vous l'amabilité de préparer les papiers nécessaires à la vente du chalet ? *Herr* von Reistoven et moi-même désirons conclure cette affaire au plus vite...

Le notaire hésitait encore, et Laurie ne put maîtriser son impatience.

— Qui donc voudrait l'acheter, à part lui ? Personne ne s'intéresserait à ce chalet dans son état actuel, et je ne dispose pas du capital nécessaire pour effectuer les réparations.

Herr Kreuz la dévisagea un long moment, puis il hocha la tête en soupirant.

— Très bien, *Fräulein Summers, il en sera comme vous le décidez. Je vais contacter Herr* von Reistoven. Le contact devrait être établi d'ici quelques jours.

Laurie prit congé peu après. Elle se dirigea vers sa voiture à pas lents, mais ne démarra pas tout de suite. Elle s'était peut-être montrée un peu sèche avec *Herr* Kreuz... Elle se sentait envahie d'un malaise croissant. Elle voulait en finir au plus vite avec cette affaire et retourner en Angleterre, dans son environnement familier, auprès de Richard. Oh ! Elle ne souffrait pas du mal du pays, non... Mais si elle restait plus longtemps dans ce pays splendide, elle craignait de ne plus pouvoir le quitter.

Laurie contempla les petites maisons aux tons chauds, les fresques murales, les fleurs. Au bout de la rue, les flancs verts et boisés des montagnes montaient à l'assaut des pics de granit. Et au-dessus, à l'infini, l'azur sans tache du ciel étincelait... Quelle différence avec les rues bruyantes et grouillantes de Londres !

... L'air était chaud et immobile. Pas un souffle de vent ne venait caresser les fleurs qui poussaient au pied des croix de pierre dans le petit cimetière de l'église. Papillons et coccinelles se reposaient sur les pierres tombales et les herbes folles. Un vieil homme, assis sur un banc à l'ombre d'un arbre, semblait s'être endormi. Ses mains noueuses, posées sur une canne, soutenaient son menton.

Au milieu de tombes nouvellement creusées, Laurie trouva celle qu'elle cherchait. C'était une pierre nue et simple, gravée seulement du nom de son grand-oncle, Howard Canning, et de ses dates de naissance et de mort.

Laurie y déposa un bouquet et resta un moment immobile. Qui était-il, ce grand-oncle ? Elle s'en souvenait à peine, mais il avait suffisamment pensé à elle pour lui léguer tous ses biens. Lui aussi avait été jeune un jour. Il avait hardiment affronté la vie. Laurie souhaita sincèrement qu'il ait vécu pleinement, avec beaucoup d'instants de bonheur.

Se détournant, prête à partir, elle sursauta violemment. Le vieillard du banc s'était approché silencieusement et se tenait juste derrière elle.

— *Fräulein* Summers...

C'était une affirmation, et non une question.

— ... J'ai attendu de voir si vous viendriez ici, si vous auriez assez de considération envers mon vieil ami pour venir lui rendre visite dans sa dernière demeure.

Le vieil homme parlait couramment l'anglais. Dans son visage ridé, ses yeux pétillaient de vie.

— ... Je me nomme Johann Staffler. Votre grand-oncle a vécu chez moi, à Ausbach, jusqu'à sa mort.

Après son expulsion du chalet Alpenrose, bien entendu.

— Expulsion ? répéta Laurie, pétrifiée.

— Oui...

Il se retourna et se dirigea lentement vers son banc. Laurie le suivit.

— ... *Herr* Kreuz est aussi un de mes vieux amis. Il m'a raconté votre visite. Vous voulez uniquement vendre la propriété et ne vous intéressez pas aux circonstances de la mort d'Howard, m'a-t-il affirmé. Mais Howard parlait souvent de vous avec une grande affection, il ne pouvait pas vous être tout à fait indifférent. Aussi, j'ai décidé de venir ici et d'attendre votre visite. Si vous n'étiez pas passée... j'aurais cru *Herr* Kreuz, soupira-t-il en haussant les épaules. Mais vous êtes ici. Vous avez donc quelque affection pour mon vieil ami.

— Que voulez-vous dire par « les circonstances de sa mort » ? demanda Laurie. Et pourquoi a-t-il été expulsé de chez lui ? N'est-il pas décédé d'une crise cardiaque ?

— C'est l'explication médicale officielle, en effet, admit *Herr* Staffler. Mais en réalité, les mesures prises pour lui faire abandonner le chalet Alpenrose l'ont conduit à la tombe.

— Mais je ne comprends pas ! Quelles mesures ? Et qui les a prises ?

— Max von Reistoven, bien sûr !

Laurie le fixa d'un air incrédule. Etaient-ce là les rumeurs dont Max l'avait avertie ?

— Oncle Howard était malade et incapable de s'occuper de ses terres, je le sais, prononça-t-elle lentement. Peut-être s'est-il imaginé être maltraité par *Herr* von Reistoven...

— Imaginé ! Qu'insinuez-vous donc ? Qu'il avait perdu l'esprit ? Ah ! Vous êtes bien comme les autres !

A quoi bon vous parler ? Vous vous êtes déjà forgé une opinion et vous n'en changerez pas ! Tout cela ne vous intéresse pas, grommela-t-il, amer. Qu'importent les souffrances physiques et morales infligées à un vieil homme par les von Reistoven !

Laurie s'enfonça les ongles dans les paumes des mains.

— Vous feriez mieux de tout me dire, déclara-t-elle d'une voix sourde.

Herr Staffler s'était déjà levé, mais il se rassit.

— C'est bon. Lorsque Howard a épousé Erika von Reistoven... Vous l'ignoriez ? ajouta-t-il en la voyant tressaillir.

— Tout à fait.

— Oui, elle l'a épousé sans le consentement de sa famille. Mais elle avait hérité du chalet Alpenrose par le grand-père de Max von Reistoven . Ils y vécurent confortablement jusqu'à la mort d'Erika. Aussitôt après, Max annonça à votre grand-oncle qu'il devait quitter les lieux. La pension versée à sa femme cessait avec sa mort, et le chalet redevenait la propriété des von Reistoven, affirmait-il. Mais Howard Canning refusa de se laisser faire. Il consulta des avocats et engagea un procès. Toutes ses ressources y passèrent, ne lui laissant plus de quoi exploiter la propriété. Max von Reistoven en tira un argument supplémentaire pour lui reprendre la propriété... Mais ce n'est pas tout ! Il refusa l'accès aux véhicules motorisés sur la route qui relie le village au château et au chalet. Votre grand-oncle fut donc forcé d'aller à pied au village quand il avait besoin de quelque chose... Même en plein cœur de l'hiver ! Ensuite, il barra le ruisseau pour priver Howard d'eau. Sa vie devint intolérable, et il fut forcé de quitter sa maison. Mais mon ami n'a jamais abandonné la lutte ! Il s'est battu jusqu'au dernier jour !

— Enfin, pourquoi ? s'exclama Laurie, pourquoi

Max von Reistoven voudrait-il chasser un vieil homme de son foyer ? Lui-même possède déjà tant, pourquoi en voudrait-il davantage ?

— Les von Reistoven sont ainsi, ils ne céderont pas un pouce de leurs terres ! Ce qu'ils ont, ils le gardent ! proféra-t-il rageusement.

— Mais dans ce cas, pourquoi avoir offert de me l'acheter ?

— C'est la façon la plus simple de récupérer le chalet. Et c'est moins cher qu'un procès !

Ecœurée, Laurie s'adossa au banc. Etait-ce possible ? Max lui aurait montré le chalet lui-même, l'aurait invitée à sortir, se serait montré charmant avec elle pour gagner sa confiance et lui mentir tranquillement ? Et elle l'avait cru ! Elle lui avait parlé en amie, s'était confiée à lui... Comme il avait dû rire de sa naïveté ! Elle lui avait même facilité la tâche, lui avait expliqué combien cet argent était précieux pour elle. Et lui pensait seulement à reprendre son précieux bout de terre. Il avait même été jusqu'à harceler un vieil homme à mort pour l'obtenir !

Un froid glacial l'envahit. Max von Reistoven paierait pour les souffrances qu'il avait infligées à oncle Howard... Et pour s'être moqué d'elle. D'un bond, elle se leva.

— Je ferais mieux de retourner parler à *Herr* Kreuz, annonça-t-elle. M'accompagnerez-vous ?

— Mais bien sûr, bien sûr !

Ils repassèrent devant la tombe du malheureux.

— Pourquoi n'est-il pas enterré aux côtés de sa femme ? s'enquit Laurie.

— Elle était une von Reistoven, elle est dans le caveau familial, au château. Même mort, Howard n'était pas encore assez bien pour elle ! lança le vieillard au visage ravagé de douleur et de rage.

3

Pour la deuxième fois, Laurie s'assit et contempla le chalet Alpenrose. Mais avec des yeux bien différents! Dans sa poche, les clefs du chalet étaient lourdes et rassurantes. Et en regardant la petite maison, elle pensait surtout à la tâche écrasante qui l'attendait... Laurie, était à présent déterminée à ne jamais céder la propriété à Max von Reistoven. Et il lui faudrait remettre la maison en état pour pouvoir lui trouver un autre acquéreur. La veille, après une longue conversation, le notaire et *Herr* Staffler avaient promis de l'aider de leur mieux. Les Trois Mousquetaires! se moqua-t-elle intérieurement. Un vieil homme fatigué, un notaire âgé et une jeune fille de vingt et un ans! Mais tout se mettait déjà en place. *Herr* Kreuz avait conclu un accord avec le fermier, Hans Schneider : il verserait une petite pension à la jeune fille et lui laisserait l'usage de son cheval en échange de l'accès aux prairies du chalet, où il mènerait paître ses vaches. Ses prairies! Laurie sourit. Elle ne s'était pas encore accoutumée à l'idée que le chalet lui appartenait vraiment!

Laurie traversa le champ et entra dans la maison. Cette fois, elle passa par le rez-de-chaussée. La porte n'avait pas servi depuis des années et la serrure rouillée céda difficilement. Mais la pièce lui réservait une bonne surprise : le sol de ciment était propre et des piles de bûches s'alignaient soigneusement le long des murs. Un escalier conduisait à une trappe qui devait déboucher dans la cuisine.

Un bruit de moteur la fit sortir. *Herr* Kreuz arrivait, en compagnie d'un entrepreneur en maçonnerie sollicité pour établir un devis. Laurie les suivit dans leur visite, puis le notaire et elle s'installèrent sur le balcon, laissant le maçon prendre des mesures et ajouter de nouvelles réparations à une liste déjà impressionnante.

— La vue est très belle, ici, commenta *Herr* Kreuz. C'est une des plus belles de la région. Et pourtant, nous n'en manquons pas !

— Peut-être quelqu'un décidera-t-il d'acheter le chalet pour la vue ! suggéra la jeune fille.

Son interlocuteur la dévisagea.

— Vous ne vous attaquez pas uniquement à des réparations, *Fräulein*. En êtes-vous consciente ? Vous vous attaquez également à Max von Reistoven. Il peut se révéler un adversaire redoutable.

— Oui, je le sais. Mais si *Herr* Staffler a dit vrai, cet homme est un lâche et un menteur. Il mérite d'être dénoncé et puni !

— Ma chère *Fräulein* Summers, ne faites rien de précipité, je vous en conjure. Vous connaissez seulement la version des faits donnée par *Herr* Staffler. C'est vrai, lui et votre grand-oncle m'en ont parlé, et j'ai essayé de les aider. Mais les vieillards sont parfois enclins à l'exagération. Vous ne devez pas formuler d'accusations sans preuve, ou vous vous attirerez des ennuis. Les von Reistoven sont très puissants.

— Raison de plus pour les affronter !

— *Fräulein*, je vous en prie, promettez-moi de ne pas commettre d'imprudences !

A contrecœur, Laurie promit. Elle aurait bien aimé dire en face à Max von Reistoven ce qu'elle pensait de lui. Mais elle n'en aurait sans doute pas l'occasion. *Herr* Kreuz l'avait informé par courrier du changement de décision de sa cliente. Elle aurait tant voulu être là lorsqu'il avait reçu la lettre ! Toutes ses amabilités et ses compliments avaient été inutiles. Il n'aurait jamais le chalet Alpenrose !

L'entrepreneur avait terminé son inspection ; il revint vers eux. Il pouvait déjà fixer un prix approximatif. Laurie fut désespérée en entendant son chiffre. L'assurance-vie d'oncle Howard ne suffirait pas à couvrir les frais ! Une longue séance d'âpres discussions s'ensuivit. Et finalement, Laurie, un peu hébétée, fit les comptes... Elle avait promis de redécorer entièrement la maison elle-même et d'aider les ouvriers le plus possible, pour réduire le coût des travaux.

Comment en était-elle arrivée là ? Elle ne s'en souvenait plus. En rentrant dans sa chambre, à l'hôtel Erlenbach, elle comprit pleinement les conséquences de sa décision. L'entrepreneur avait promis de commencer les travaux immédiatement, mais ses ouvriers devraient travailler au moins deux semaines avant que Laurie puisse s'attaquer à la peinture des murs. Et il lui restait tout juste quinze jours de vacances.

Elle se jeta sur son lit. Elle *devait* trouver une solution ! Finalement, la seule conclusion sensée s'imposa en elle. Elle allait écrire à ses employeurs pour leur annoncer sa démission. Ainsi, elle n'aurait pas à se soucier de respecter des délais, et pourrait travailler à son propre rythme. Mais qu'allait-elle dire à Richard ?

Le cœur battant d'inquiétude, elle l'appela tout de suite après le dîner.

— Bonsoir, ma chérie ! Tout va bien ? Avez-vous signé l'acte de vente ?

— Eh bien... euh, non, je... Voyez-vous, Richard, je...

— Demandez donc à votre notaire de se dépêcher, vous me manquez !

— Oh, Richard ! Vraiment ?

— Mais bien sûr ! Si seulement vous aviez été là pour me voir aujourd'hui ! J'ai interrogé un des témoins et on m'a félicité sur la façon dont j'ai mené l'interrogatoire.

— C'est merveilleux, Richard !... Mais j'ai quelque chose à vous annoncer, ajouta-t-elle précipitamment. J'ai décidé de ne pas vendre la propriété à *Herr* von Reistoven, finalement. Je... J'ai démissionné et je vais rester ici pour m'occuper des travaux.

— Laurie ! Je vous entends très mal ! J'ai cru comprendre que vous vouliez démissionner !

— Vous m'avez bien entendue. Ecoutez, Richard, je vais vous écrire pour tout vous expliquer, je...

— C'est de la folie, Laurie. Je ne vous laisserai pas quitter votre emploi !

— Il est malheureusement trop tard, mon chéri, j'ai déjà envoyé ma lettre de démission, mentit-elle. Richard, ne discutons plus. Vous me comprendrez mieux en me lisant. Et, en fin de compte, nous obtiendrons davantage d'argent si la maison est en bon état.

Un silence lourd de menaces s'abattit. Puis la voix de Richard retentit, affaiblie par la distance, mais glaciale.

— Très bien, Laurie. Puisque vous avez pris une décision sans me consulter, je ne puis guère intervenir. Mais c'est absurde... Parfaitement absurde !

Il refusa de se laisser apaiser et, au bout d'un moment, Laurie, agacée, répéta qu'elle écrirait et raccrocha un peu brutalement.

Elle comprenait bien le ressentiment de Richard, mais tout de même, il aurait pu attendre d'être en possession de tous les faits pour la juger !

Laurie eut le plus grand mal à écrire cette lettre.

Enfin, elle la relut et poussa un soupir de découragement. Richard ne comprendrait jamais !

Le dimanche matin, tout s'arrêtait à Ausbach. Les habitants du village revêtaient leurs plus beaux atours et se dirigeaient en famille vers la petite église. En compagnie de *Herr* Gruber et de quelques clients de l'hôtel, Laurie se joignit à la foule des fidèles. Tous prirent place sur les bancs de bois poli. Laurie, installée au fond de l'église, jeta un coup d'œil vers l'autel et se figea. Les yeux de Max von Reistoven, bleus comme la glace, étaient rivés sur elle. Il s'était retourné un instant, droit et fier. On ne pouvait se méprendre sur ses sentiments : il écumait de rage.

Le service ne dura pas longtemps, mais Laurie eut du mal à se concentrer. Elle se contentait de s'agenouiller ou de se relever au bon moment. Elle sentait des regards fixés sur elle et entendait des chuchotements couverts par la musique de l'orgue. Tout le monde devait savoir qui elle était. Et les commentaires allaient bon train sur son refus de vendre le chalet à Max...

Après la messe, Laurie ne rentra pas directement à l'hôtel. Elle se posta à la sortie de l'église et regarda passer les fidèles. Max arriva enfin, accompagné d'une dame relativement âgée et très élégante. Celle-ci s'arrêta pour discuter avec le prêtre. Max fit quelques pas en l'attendant. Puis, apercevant Laurie, il se dirigea vers elle d'un pas décidé. La jeune fille l'attendit de pied ferme. Elle avait un compte à régler avec Max von Reistoven !

— Pourquoi avez-vous repoussé mon offre ? lança-t-il immédiatement.

Laurie leva vers lui des yeux ingénus.

— Oh ! Le notaire ne vous a rien dit ? J'ai changé d'avis.

— Mais pourquoi, *Fräulein* ? Vous étiez tout à fait

satisfaite de ma proposition lors de notre dernière rencontre. Vous a-t-on raconté certaines choses ? Si c'est le cas...

— Des choses ? Quelles choses ? s'enquit Laurie avec une innocence feinte.

— Ecoutez-moi. Si c'est une question d'argent...

— Grand Dieu, non ! J'ai décidé de transformer la propriété en terrain de camping, avec des emplacements réservés aux caravanes. Je vais faire construire des petits bungalows. C'est si romantique, n'est-ce pas ? Oh ! Et j'allais oublier ! Il y aura une discothèque au rez-de-chaussée et des festivals de jazz tous les étés !

— Je n'en crois pas un mot, gronda-t-il, les mâchoires crispées. Vous m'aviez promis d'écouter *Herr* Kreuz en gardant l'esprit ouvert, mais vous avez choisi de le croire, lui...

— Et *Herr* Staffler, ajouta-t-elle froidement. Lui aussi sait ce que vous avez fait endurer à mon oncle. Chasser un vieillard de chez lui ! Quelle honte !

Max lui saisit le poignet et le serra de toutes ses forces.

— Petite sotte ! Comment pouvez-vous croire ce vieux fou ? Ne vous laissez pas aveugler ! J'ai essayé d'aider *Herr* Canning, je lui ai offert de venir vivre au château...

— Oh ! ne continuez pas à mentir ! coupa Laurie, scandalisée. Je vous connais à présent, et je vous trouve parfaitement méprisable !

— *Gott !* Si vous étiez un homme, je vous aurais demandé immédiatement réparation pour cette insulte !

Ses yeux lançaient des éclairs menaçants. Laurie se redressa.

— Cela vous aurait plu, n'est-ce pas ? Les gens comme vous ne connaissent que la force brutale ! Vous piétinez les faibles sans pitié, pour un malheureux lopin de terre...

Elle s'interrompit. Elle était allée trop loin. Heureusement, une voix étonnée appela Max à ce moment-là. Il se retourna et répondit en allemand à une question posée par la dame qui l'accompagnait.

— *Niemand bedevtend,* dit-il. *Nur ein Tourist.*

Ils s'éloignèrent aussitôt. Pâle de colère, Laurie retourna à l'hôtel.

— *Herr* Gruber, demanda-t-elle à l'hôtelier, que signifie *Niemand bedevtend, nur ein Tourist ?*

— « Personne d'important, juste une touriste », répondit-il, étonné de cette question.

Ainsi, elle était « juste une touriste » pour Max von Reistoven ? Un jour, il lui en demanderait pardon... A genoux !

Le bruit des marteaux et des scies résonna bientôt dans la vallée. L'entrepreneur et ses ouvriers s'étaient mis à l'œuvre. L'odeur du bois fraîchement coupé ravissait Laurie. Les hommes travaillaient vite, en sifflant et en bavardant gaiement. Toute la journée, la jeune fille nettoya et rangea la pièce du rez-de-chaussée pour permettre aux ouvriers d'entreposer leurs outils et les matériaux nécessaires. Le soir, épuisée, elle prit un long bain et se lava vigoureusement les cheveux pour se débarrasser de toute la poussière.

Le lendemain matin, un camion apporta une cargaison de poutres pour la réfection du toit. Les ouvriers jetèrent le bois cassé et pourri sur le sol. L'un d'eux mit une faux dans la main de Laurie et lui expliqua par gestes comment l'utiliser. Puis il la laissa seule. Elle était censée déblayer le champ contigu à la maison pour pouvoir construire un bûcher et brûler les anciennes poutres sans risque d'incendie !...

Elle se mit au travail avec une certaine nervosité. Elle craignait de se blesser avec cet instrument impressionnant. Très vite, ses bras et ses jambes se mirent à trembler de fatigue. Elle s'arrêta pour souffler, mais le regard ironique des ouvriers la mortifia et, serrant les dents, elle empoigna à nouveau sa faux. S'il n'y avait pas eu Max von Reistoven, elle serait déjà de retour à Londres, et préparerait son mariage avec Richard ! A cette idée, ses doigts endoloris se resserrèrent sur le manche de la faux. Le terrain fut déblayé en très peu de temps...

Fière de son œuvre, Laurie alla trouver l'entrepreneur : il pouvait construire son bûcher. Cinq minutes de conversation en mauvais anglais et en très mauvais allemand lui ôtèrent son sourire : c'était à elle de construire le bûcher ! Son regard alla des bouts de bois moisis à son pantalon et à son joli chemisier. Elle pouvait leur dire adieu ! Si seulement elle avait apporté un foulard pour protéger ses cheveux ! Tout l'après-midi, elle traîna les poutres pesantes sur une dizaine de mètres et les empila en un tas bancal et anarchique. Les ouvriers étaient repartis chez eux. Mais Laurie, décidée à terminer le soir même, continuait.

Elle venait de hisser un madrier plein sur la pile et se retournait en s'essuyant le front lorsqu'elle aperçut un cavalier sur un grand étalon noir. Max sauta à terre et attacha sa monture à un arbre. D'un coup d'œil, il embrassa la scène.

— Les Anglais sont réputés pour être des fanatiques du bricolage, mais de là à fabriquer eux-mêmes leur chalet autrichien ! Je vous félicite, *Fräulein*, le travail ne vous rebute pas !

Laurie lui lança un regard furibond.

— Vous êtes sur une propriété privée ! grinça-t-elle.

— Eh oui !... Pourquoi ne me jetez-vous pas dehors ?

Serrant les poings, elle lui tourna le dos.

— ... N'allez-vous pas me montrer les progrès des travaux ? s'enquit Max.

50

— Et pourquoi donc ?

— Eh bien, c'est ma maison, expliqua-t-il patiemment.

— C'est un mensonge ! Ce chalet appartenait de droit à mon grand-oncle !

— Vous en êtes convaincue, n'est-ce pas ? Vous avez lu tous les papiers, étudié tous les actes de donation, vérifié le testament de mon grand-père. Vous êtes sûre de vous.

Laurie se mordit la lèvre. Elle n'avait rien fait de tel, c'était vrai. Mais *Herr* Kreuz avait dû s'en charger et trouver des preuves suffisantes. Sinon, il n'aurait pas conseillé à son grand-oncle d'entamer un procès. Sans répondre, elle se baissa et ramassa une planche. Max, nonchalamment adossé à un tronc d'arbre, la suivait des yeux.

— Mais pourquoi ne partez-vous pas ? s'exclama-t-elle au bout d'un moment, exaspérée.

— Parce que je m'amuse. Dites-moi, votre fiancé vous approuve-t-il ?

— Richard ? Oui… Oui, bien sûr ! Il a horreur de l'intimidation, lui aussi !

— Vraiment ? ironisa Max. Pourtant, il doit en avoir l'habitude !

Laurie mit les poings sur ses hanches.

— Et que voulez-vous dire par là ?

— Oh ! simplement ceci : quiconque est prêt à épouser une enfant capricieuse comme vous est aveuglé par l'amour, ou bien c'est un masochiste !

— Espèce de… !

La jeune fille leva la main, mais Max fut plus prompt et lui saisit le poignet.

— Petite tigresse ! Vous méritez une bonne fessée !

— Evidemment ! riposta Laurie, la violence est votre réponse à tout ! Mais vous pouvez me menacer et m'intimider, cela ne vous servira à rien ! Je n'ai pas peur de vous ! Vous... Vous n'êtes qu'une grande brute stupide !

A ces mots, Max changea subitement d'expression. Ses lèvres se détendirent, et il partit d'un énorme éclat de rire, en empoignant Laurie par les deux bras. Ivre de rage et d'humiliation, elle essaya de se débattre, mais il était trop fort. Il la souleva de terre, gesticulante et hurlante, et l'emporta sans cérémonie jusqu'à sa voiture. Là, il la jeta sur le siège et se croisa les bras.

— Rentrez chez vous et reposez-vous. Vous avez assez travaillé pour aujourd'hui !

Muette, livide de rage, Laurie démarra et partit sans se retourner. Elle n'aurait jamais dû venir en Autriche, elle n'aurait jamais dû rencontrer ce personnage insupportable ! C'était un despote, une brute, un...!... Il s'était montré si charmant, si agréable lors de leur première rencontre...

Le lendemain matin, elle retourna au chalet très tôt pour terminer son travail. Mais les dernières planches avaient disparu. Sa pile désordonnée de la veille avait été détruite, et un beau bûcher se dressait, bien carré, creusé d'une cheminée centrale bourrée de petit bois. Un mot était accroché bien en vue : « Même les brutes sont parfois utiles, surtout les grandes brutes stupides ! »

4

Le cœur lourd, Laurie regarda le camion disparaître sur la route d'Ausbach, entouré d'un nuage de poussière. L'entrepreneur venait de repartir avec tous ses hommes. On avait besoin de lui pour une réparation urgente, il resterait absent deux jours. L'équipe travaillait maintenant depuis une semaine. Les murs, les escaliers et le balcon étaient entièrement terminés, mais il fallait encore s'attaquer au toit. Avant de partir, les ouvriers avaient installé une grande toile goudronnée à l'emplacement du trou pour protéger le chalet des intempéries. Laurie avait bien travaillé, elle aussi. Les encadrements des fenêtres et les volets étaient repeints de frais, et les vitres toutes neuves étincelaient au soleil.

Certes, ce départ imprévu était bien compréhensible, mais Laurie s'inquiétait de ce délai supplémentaire. Chaque jour augmentait sa note d'hôtel.

Assise sur un rondin, la jeune fille en était là de ses réflexions moroses, quand elle se redressa brusquement. Elle était bien sotte ! Pourquoi payer une chambre d'hôtel alors qu'elle pouvait parfaitement s'installer au chalet ? De plus, elle n'aurait plus besoin de sa voiture ; si elle devait descendre au village, elle demanderait aux ouvriers de l'emmener. Oui, vraiment, plus elle y pensait, plus cette idée lui paraissait séduisante.

En quelques heures, Laurie fit ses bagages, rendit sa clef, acheta un sac de couchage, du matériel de camping et quelques provisions. Elle apporta le tout au chalet et conduisit ensuite sa voiture à l'agence de location de la petite ville la plus proche.

Le trajet du retour, en car puis à pied, fut très long. Mais une fois arrivée au chalet, elle fut envahie d'une joyeuse excitation. Pour la première fois de sa vie, elle allait passer la nuit, seule, dans sa propre maison ! En fait, elle allait passer sa première nuit de totale solitude... Elle repoussa résolument cette idée et entreprit de nettoyer l'alcôve de la chambre.

Ensuite, elle ouvrit quelques boîtes de conserve et se prépara un petit repas sur son camping gaz. Elle fit la vaisselle dans le ruisseau et rentra après avoir bien fermé toutes les issues à clef. Oh ! Elle n'avait pas peur ! Elle se le répéta fermement, allongée dans son sac de couchage, les yeux et les oreilles grands ouverts. Une brise légère soulevait le coin de la toile goudronnée et la faisait claquer doucement contre le mur, comme un bruit de pas. Des chouettes hululaient dans le bois... Laurie sombra enfin dans un sommeil agité.

Toute la matinée, elle nettoya la chambre, frotta les murs et le sol, lessiva le plafond. Dans l'après-midi, épuisée, elle décida de s'accorder une récréation. Elle sella le cheval prêté par Hans Schneider et partit au grand galop sur la route qui contournait le *Schloss* Reistoven par le haut. La brise était rafraîchissante, après la chaleur de la vallée. Le cheval faisait voler des mottes de terre sous ses sabots.

Au bout d'un moment, Laurie ralentit l'allure de sa monture. Le jeune animal écumait. Ils errèrent encore dans les sous-bois, puis Laurie prit le chemin du retour.

En bas, à l'orée de la forêt, le chemin longeait une cascade bouillonnante. Le bruit était assourdissant.

Brusquement, le cheval dressa les oreilles et renâcla. Il s'arrêta net et tapa le sol.

— Tout doux, mon beau! La cascade te fait-elle peur?

Laurie essaya de le faire avancer. Peine perdue. Agacée, elle mit pied à terre et le tira.

— Allons! Viens! Tu ne risques rien.

Le cheval résista, hennit... Et subitement, Laurie l'entendit! Tout près, quelqu'un criait. Ses appels étaient à peine audibles à cause de l'eau. Le cri retentit à nouveau. Il semblait provenir du ravin. Laurie se précipita vers le bord. Deux petites têtes levèrent vers elle un regard plein d'espoir. Un petit garçon brun au visage piqueté de taches de rousseur tenait un jeune chiot dans ses bras. Par chance, ils avaient atterri sur une étroite plate-forme, deux mètres plus bas environ.

— Mon Dieu! Comment êtes-vous arrivés là! s'exclama Laurie.

— *Bitte, Fräulein, mein Hündchen...*

L'enfant s'interrompit et reprit en anglais.

— S'il vous plaît, mon chien tombé.

— Et tu es descendu le chercher parce qu'il n'arrivait pas à remonter, devina Laurie.

Elle examina le ravin. Il serait facile à escalader les mains vides, mais elle aurait du mal à porter l'enfant.

— Tiens-toi bien, j'arrive! lui lança-t-elle.

Lentement, avec précaution, elle descendit et assura solidement sa prise juste au-dessus de l'enfant avant de se tourner vers lui.

— Bien! Passe-moi ton chien!

Il le lui tendit à contrecœur et Laurie remonta, le chiot apeuré calé sous un bras. Puis elle repartit par le même chemin et fit un signe au garçonnet de se cramponner à son dos.

— Tiens-toi bien, et ne regarde pas en bas, lui ordonna-t-elle.

En quelques minutes, ils atteignirent le bord du ravin. Le petit chien courut lécher son jeune maître en jappant de plaisir.

— J'appelais, j'appelais, mais personne ne venait !

Le soulagement fit monter les larmes aux yeux du garçonnet. Courageusement, il les essuya d'un revers de main et renifla. Laurie sortit un mouchoir propre de sa poche.

— *Danke.*

Il se moucha, essuya son visage maculé de terre, puis rendit poliment le mouchoir à sa légitime propriétaire.

— Euh… Garde-le !… Ton chiot boite, ajouta-t-elle en prenant le petit animal dans ses bras. Il a dû se blesser à la patte. Hum !… Nous ferions mieux de l'amener chez le vétérinaire !…

L'enfant n'avait pas compris.

— … Le médecin des animaux.

Il hocha la tête. Laurie le hissa sur le cheval avec le petit chien et monta derrière eux.

— Comment t'appelles-tu ? Ton nom ?

Un large sourire édenté illumina le petit visage.

— Rudi.

— Moi, je m'appelle Laurie Summers. Et ton chien ?

— *Das ist Prinz*, déclara fièrement Rudi.

Laurie contempla le chiot tout sale et ébouriffé d'un air sceptique.

— Hum, un prince ? Enfin, il l'est sûrement à tes yeux, mon poussin !

Hans Schneider ouvrit de grands yeux en voyant arriver le petit groupe. Rudi se lança dans un torrent d'explications avec de grands gestes. Le fermier hocha la tête et inscrivit un nom et une adresse sur un bout de papier. Rudi tourna des yeux implorants vers laurie.

— S'il vous plaît, *Fräulein,* vous amenez le chien chez docteur ?

— Mais oui, ne t'inquiète pas ! sourit Laurie.

56

Ils trouvèrent aisément le cabinet du vétérinaire. Par chance, celui-ci parlait anglais.

— Ce n'est rien de grave, *Fräulein,* assura-t-il. Il n'a rien de cassé. Gardez sa patte bandée huit jours et ramenez-le-moi.

Rayonnant de joie, Rudi prit son précieux fardeau. Puis une expression anxieuse traversa son regard.

— S'il vous plaît, *Fräulein,* pas d'argent!

— J'en ai bien assez! Ne t'inquiète pas!

Une fois dehors, Laurie se tourna vers son petit compagnon.

— Je vais te ramener chez toi. Où habites-tu?... Ta maison, reprit-elle. Où est-ce?

— *Schloss* Reistoven, répondit le petit garçon.

Stupéfaite, Laurie contempla le garçonnet à la chemisette délavée et au pantalon reprisé. Mais voyons! Ce devait être le fils d'un des domestiques, comprit-elle enfin.

— Parfait, c'est sur ma route!

Arrivée à la fourche du chemin, Laurie s'engagea vers la gauche... Vers le repaire du seigneur du château, songea-t-elle sombrement. Elle pria le ciel de ne pas le rencontrer.

Le chemin menait à l'arrière du château. Un large portail s'ouvrait sur une route goudronnée. Ce devait être l'entrée de service. Des écuries et des remises immaculées se dressaient sur la gauche. Laurie n'avait guère envie de s'attarder; elle fit descendre Rudi.

— Au revoir, Rudi. Prends bien soin de Prinz!

Le garçonnet lui prit la main.

— S'il vous plaît... Où allez-vous?

— Chez moi, au chalet Alpenrose.

Il hocha la tête, sourit, et s'éloigna en courant.

Assez fatiguée, Laurie remonta en selle et descendit le chemin. Au pied de la colline, elle se retourna pour contempler le *Schloss* Reistoven. Le bâtiment était hérissé de tourelles et de pignons. Les toits brun-rouge luisaient au soleil, comme ils l'avaient fait depuis des siècles. Comment osait-elle affronter le propriétaire de cette demeure? Il avait derrière lui la force et la puissance d'innombrables générations de seigneurs. Il devait s'amuser de ses faibles efforts pour le contre-carrer!

Pour la première fois, Laurie se sentit déprimée en retournant au chalet. Une nouvelle nuit solitaire l'attendait...

Un dur labeur était l'antidote rêvé à ce découragement passager, décida-t-elle en se réveillant. Elle passa toute la journée à nettoyer les autres pièces du premier étage et décapa toutes les poutres au papier de verre pour pouvoir les peindre.

— *Fräulein! Fräulein* Summers!

Une voix aiguë lui fit lever les yeux de sa première couche de peinture. Elle passa la tête par la fenêtre et aperçut Rudi, tenant fermement Prinz au bout d'une ficelle. Laurie lui fit signe de monter; il s'élança en courant.

— Mais tu es tout propre! Je t'ai à peine reconnu! s'exclama Laurie.

Le garçonnet avait été soigneusement lavé et peigné. Sa chemise était immaculée et son pantalon bien repassé.

— J'ai eu le plus grand mal à le garder dans cet état jusqu'ici. Et dans cinq minutes, il sera certainement sale à nouveau!

Laurie fit volte-face. Une femme s'encadrait dans la porte. Elle semblait hésiter.

— Puis-je entrer?

— Mais oui, bien sûr!

Lorsqu'elle s'avança, Laurie la reconnut. Elle était avec Max à l'église. La nouvelle venue portait une robe bleu pâle, toute simple mais très bien coupée. Ses cheveux grisonnants étaient coiffés en chignon bas. Son élégance sans prétention fit rougir Laurie. Mais sa visiteuse lui sourit cordialement en lui serrant la main.

— *Guten Tag, Fräulein* Summers. Je suis Anna von Reistoven, la grand-mère de Rudi. Il m'a raconté comment vous l'aviez courageusement sorti d'un ravin. Ce petit se met toujours dans des situations impossibles ! Nous vous sommes très reconnaissants de l'avoir sauvé.

— Oh ! mais ce n'était rien, protesta Laurie, confuse. Il était à peine à deux mètres du bord.

Frau von Reistoven la remercia encore et lui demanda si elle aimait l'Autriche. Très vite, elles bavardèrent sans gêne, comme deux amies. Mais Laurie réfléchissait intérieurement. Cette dame si élégante devait être la mère de Max. Donc, Rudi était son fils. Pourtant, il ne lui ressemblait pas le moins du monde. Il était aussi brun que Max était blond. Sans doute la femme de Max était-elle brune.

— Je dois vous l'avouer, *Fräulein*, j'étais très curieuse de faire votre connaissance, depuis que Max m'a annoncé votre arrivée, déclara subitement Anna von Reistoven.

Laurie lui décocha un regard méfiant. Devrait-elle la considérer comme une ennemie ?

— Il vous a parlé de moi ? demanda-t-elle prudemment.

— Oh oui ! Je ne l'avais pas vu aussi... comment dites-vous ? Hors de lui ?... depuis fort longtemps ! Il pensait avoir enfin résolu le problème du chalet.

— Vous devez me trouver sotte d'avoir refusé de le lui vendre, n'est-ce pas ?

Frau von Reistoven sourit gaiement.

— Au contraire, vous avez tout à fait raison, à mon avis, répliqua-t-elle.

Laurie ouvrit de grands yeux.

— Vraiment?

— Absolument. Vous devez lui résister le plus longtemps possible. Il gagnera à la fin, bien entendu, ajouta-t-elle en souriant. Il gagne toujours. Mais au moins, vous lui aurez appris une bonne chose : rien n'est acquis d'avance lorsqu'on a une femme déterminée en face de soi. Je suis entièrement de votre côté.

La jeune fille eut un sourire ravi.

— Vous ne ressemblez pas du tout à Max! s'exclama-t-elle impulsivement.

— Je l'espère bien! Max en fait toujours à sa tête. Il est temps de changer cela... Mais dites-moi, ajouta-t-elle en regardant autour d'elle, vous ne vivez pas au chalet?

— Eh bien, si, avoua Laurie. Voyez-vous, je m'occupe de la décoration intérieure. C'est bien plus commode de rester sur place. Sinon, il me faudrait effectuer l'aller et retour jusqu'à Ausbach chaque jour.

— Mais n'est-ce pas un peu... euh... rudimentaire? suggéra délicatement sa visiteuse.

— Un peu, oui. Surtout lorsque les ouvriers sont là. Mais ils auront fini dans quelques jours.

— Je me souviens de cette maison à l'époque où ma cousine Erika y habitait. C'était votre grand-tante, vous savez. Avez-vous eu l'occasion de la rencontrer?

— Non, jamais.

— Quel dommage! Vous lui auriez sûrement plu! Mais j'y songe! Nous sommes parentes par Erika!

— Oh! Très éloignées! répondit Laurie en riant.

— Mais parentes tout de même! Et je ne puis laisser un membre de ma famille vivre dans des conditions pareilles lorsqu'il y a tant de chambres vides au château!

Laurie la dévisagea longuement. Elle ne souriait plus.

Anna von Reistoven s'approcha d'elle et lui posa les mains sur les épaules.

— Je sais, mon enfant. Vous pensez que nous avons laissé votre grand-oncle y vivre. Mais croyez-moi : je suis venue, non pas une fois mais plusieurs, essayer de le convaincre de s'installer avec nous au château. C'était un homme très obstiné et il s'était mis en tête de considérer Max comme son ennemi. Je n'ai pas réussi à le faire changer d'avis. Cela m'a grandement attristée... J'espère que vous ne vous montrerez pas aussi... déterminée ?

— Je vous remercie beaucoup de votre invitation, *Frau* von Reistoven, mais...

— Mais vous n'allez pas l'accepter ? soupira la mère de Max. Seigneur ! Mon brigand de fils vous effraie donc tant ?

— Ce n'est pas cela, protesta Laurie en souriant faiblement. Simplement...

Elle s'interrompit et haussa les épaules.

— C'est bon, *Fräulein,* je n'insisterai pas davantage. Je vous comprends.

— Puis-je vous demander de m'appeler Laurie ? Vous me feriez tellement plaisir !

— Merci, mon petit. Rudi et moi pourrons revenir vous rendre visite ?

— Mais bien sûr ! Avec joie !

Laurie les suivit longuement des yeux. Elle était perplexe. La mère de Max était si douce, si bonne, elle n'aurait certainement pas laissé son fils maltraiter l'oncle Howard sans réagir ?

Poussant un long soupir, elle se remit au travail. A la fin de la journée, elle s'arrêta, recrue de fatigue. Ses paumes étaient couvertes d'ampoules et ses bras étaient engourdis de douleurs. Une heureuse surprise vint la divertir : la voiture de *Herr* Kreuz arrivait en cahotant sur le sentier. Le notaire avait amené *Herr* Staffler avec lui. Les deux hommes visitèrent le chalet et félicitèrent sincèrement Laurie pour son œuvre. Elle en fut toute ragaillardie. *Herr* Kreuz venait lui annoncer une nouvelle : il avait préparé les papiers nécessaires pour déposer une demande d'adduction d'eau au chalet.

— Mais je n'en ai pas les moyens ! s'étonna Laurie. Vous le savez, je dispose d'à peine assez d'argent pour payer les réparations !

— Oui, oui, la rassura le notaire. Mais si vous obtenez l'autorisation, ce sera un argument de vente important.

— Ah ! Je comprends ! Comment dois-je m'y prendre ?

— Vous devez vous rendre à Bergheim, au bureau fédéral, et y déposer un formulaire de demande. Je dois y aller moi-même après-demain. Si vous êtes libre, je pourrai vous y emmener et je vous aiderai à remplir les documents. Malheureusement, il vous faudra revenir par vos propres moyens ensuite ; j'ai affaire toute la journée là-bas.

Laurie le remercia chaleureusement. Le notaire eut ensuite la gentillesse de l'inviter à dîner le soir même. Elle accepta de bon cœur. Les repas de boîtes de conserve commençaient déjà à la lasser !

Herr Staffler fut également convié. Mais, après avoir bu un ou deux verres de vin, son seul sujet de conversation devint une interminable récrimination contre les von Reistoven. *Herr* Kreuz tenta à plusieurs reprises de changer le cours de la discussion, mais le vieil homme revenait systématiquement à sa haine pour Max von Reistoven, énumérant tous les torts et les maux infligés par celui-ci à son vieil ami Howard Canning. Laurie, mal à l'aise, se demandait si son grand-oncle avait été aussi vindicatif et déraisonnable que lui.

Laurie et *Herr* Kreuz fixaient l'employé du bureau fédéral d'un air stupéfait. Celui-ci haussa les épaules et secoua la tête.

— Je suis désolé, *Fräulein,* nous n'y pouvons rien. *Herr* von Reistoven est formel. Il n'autorisera sous aucun prétexte l'aménagement de conduites d'eau et de tout-à-l'égout sur ses terres. Et comme votre propriété est entièrement cernée par le domaine des von Reistoven...

Découragés, ils sortirent du bureau. Le notaire abandonna la jeune fille pour se rendre à son rendez-vous. Laurie, tête basse, se dirigea vers l'arrêt du car. Une sourde colère montait en elle. Pour la première fois, elle se heurtait à la puissance de Max. Il lui suffisait de donner un ordre, et un obstacle infranchissable se dressait devant elle... A quoi bon lutter contre lui ? Autant essayer d'abattre les murs du *schloss* von Reistoben à mains nues !

Le ciel se couvrait progressivement d'épais nuages sombres. Un petit vent froid se leva brusquement. Laurie frissonna. Sa robe d'été rose s'harmonisait parfaitement à ses cheveux bruns et à sa peau hâlée, mais elle ne serait guère de mise si l'orage éclatait. Elle pressa le pas, de plus en plus amère. Max pourrait l'empêcher de continuer quand il le voudrait... Une idée traversa l'esprit de Laurie : les travaux s'étaient *effectivement* arrêtés ! Les ouvriers n'étaient toujours pas revenus au chalet ! Elle retint son souffle. Max était-il responsable de cela ? Il en serait bien capable !

Comme elle tournait dans la rue du marché, elle sursauta en apercevant une haute silhouette sur le trottoir d'en face. Max ! Il se dirigeait rapidement vers sa voiture, garée un peu plus loin.

Sans hésiter, Laurie traversa la rue au pas de course. Une voiture freina brutalement pour l'éviter. Mais elle n'en n'avait cure. Sans un coup d'œil en arrière, elle franchit les derniers mètres qui la séparaient de lui. Les yeux étincelants de colère, elle l'empoigna par la manche.

— Une minute ! J'ai deux mots à vous dire !

L'expression stupéfaite de Max se transforma rapidement en exaspération.

— Au contraire, *Fräulein* Summers, nous n'avons plus rien à nous dire, j'en suis convaincu ! Je vous ai donné plus d'un bon conseil et vous avez toujours refusé de m'écouter. Je puis simplement ajouter une remarque : vous êtes la femme la plus têtue et la plus volontaire que je connaisse. Un point, c'est tout !

— Oh ! mais non, ce n'est pas tout ! rétorqua-t-elle. Vous avez encore beaucoup à m'expliquer. Je sors du bureau fédéral.

Max serra les lèvres. Mais il n'eut pas le temps de répondre. Un violent coup de tonnerre retentit et une trombe d'eau s'abattit sur eux.

— Par ici ! lança-t-il.

Il ôta sa veste et la posa sur la tête de Laurie tout en l'entraînant vers sa voiture. Il lui ouvrit la portière et la poussa à l'intérieur. Puis il fit le tour de la Mercedes et vint s'asseoir sur le siège du conducteur, ses cheveux blonds étaient trempés.

— Avez-vous déjà vu un orage en montagne ? demanda-t-il abruptement.

Laurie secoua la tête. Sans un mot, il tourna la clef de contact et démarra. Les essuie-glaces balayaient le pare-brise sans jamais parvenir à le sécher. La pluie était torrentielle. Au bout de deux kilomètres, Max arrêta la voiture sur une esplanade aménagée pour les touristes avides de vues pittoresques. Mais il n'y avait rien à voir, ce jour-là. Le paysage était noyé dans un brouillard gris opaque. A la place, Laurie assista à un spectacle inoubliable. Le roulement du tonnerre était amplifié par les montagnes, et chaque coup retentissait

Les mille et une histoires d'amour de la *Collection Harlequin*

Profitez de cette offre unique pour découvrir le monde merveilleux de l'amour.

Plongez au cœur des plus intrigantes et passionnantes histoires d'amour. Découvrez dans chacun des romans une héroïne semblable à vous. Par la magie de ces récits, vous entrerez dans la peau du personnage et serez transportée dans des pays inconnus. Vous rencontrerez des étrangers séduisants et fascinants. Profitez de l'offre des 4 nouveaux volumes gratuits pour découvrir ce monde excitant. Vous recevrez ensuite 6 volumes par mois. Ainsi, comme des milliers de femmes, vous vous délecterez et attendrez, chaque mois, avec impatience vos 6 nouveaux volumes de la superbe Collection Harlequin.

La Collection Harlequin
Les plus belles histoires d'amour, au monde.

Collection Harlequin
L'AUTRE MOITIÉ DE L'ORANGE
Anne Weale

Collection Harlequin
SOUS LE VOILE DU DÉSIR
Charlotte Lamb

Collection Harlequin
D'OMBRE ET DE LUMIÈRE
Violet Winspear

Collection Harlequin
IL EST TEMPS DE RENAÎTRE
Flora Kidd

Commencez votre Collection Harlequin avec ces 4 nouveaux volumes gratuits.
(valeur de 7$)

Voici votre cadeau.

D'ombre
et de lumière
de Violet Winspear

L'autre moitié
de l'orange
d'Anne Weale

Sous le voile
du désir
de Charlotte Lamb

Il est temps
de renaître
de Flora Kidd

Offre gratuite

Harlequin, les romans que l'on dévore.

comme dans une caisse de résonance. Les éclairs livides déchiraient par intermittence la couverture de nuages et illuminaient la montagne entière durant une fraction de seconde. C'était une immense cacophonie de sons et de lumières, suffoquante de puissance et de majesté primitive.

Puis, aussi vite qu'il avait éclaté, l'orage s'éloigna. Les deux passagers de la voiture restèrent silencieux un long moment. Enfin, Laurie se tourna vers l'Autrichien.

— Pourquoi ne m'autorisez-vous pas à faire venir l'eau et le tout-à-l'égout chez moi ?

Max lui fit face, le regard impénétrable.

— Ne connaissez-vous pas la réponse ?

— Si, effectivement, admit-elle d'un ton caustique. Vous voulez cette terre, et vous refusez que quelqu'un d'autre y touche. J'ai travaillé deux ans dans un cabinet d'avocats et j'ai beaucoup appris sur les pratiques sournoises de certains individus. Mais croyez-moi, *Herr* von Reistoven, vous êtes le pire de tous. Vous êtes un despote insatiable, il vous faut tout pour vous. Je commence seulement à comprendre pourquoi Oncle Howard vous haïssait tant ! Bien à l'abri dans votre nid d'aigle, vous manipulez les vies, vous écrasez lentement les gens jusqu'à...

Les derniers mots moururent dans sa gorge. Max avait lâché le volant et s'était jeté sur elle. D'une main, il lui agrippait l'épaule et de l'autre, il lui serrait le cou. Ses yeux lançaient des éclairs meurtriers. Laurie connut alors la peur, une terreur atroce, affolante. Personne ne savait où elle était. Cet homme pouvait la jeter dans le ravin, nul ne songerait à venir l'y chercher...

Max lut cette panique insensée dans son regard. Il desserra à peine son étreinte et lui caressa le cou du bout des doigts sans la quitter des yeux.

— Dois-je vraiment en arriver là? Dois-je vous effrayer pour vous faire taire?

Son visage était tout proche de celui de Laurie. Elle voulut se débattre, se détourner, mais il la ramena à lui sans difficulté.

Puis, subitement, il la lâcha et se cala sur son siège. Il semblait avoir retrouvé tout son calme.

— Cigarette?

— N... Non.

Il en alluma une et ouvrit la fenêtre. Un soleil tout neuf réchauffait déjà la terre.

— Vous campez au chalet, m'a dit ma mère?

— Oui.

Laurie était encore complètement crispée.

— Avez-vous refusé son hospitalité à cause de moi?

— Pas uniquement. Je ne voulais pas...

— Fraterniser avec l'ennemi?... Croyez-le ou non, *Fräulein* Summers, je ne suis pas votre ennemi. Si vous écoutez *Herr* Staffler et *Herr* Kreuz, ils vous persuaderont de dépenser beaucoup plus d'argent que vous ne l'aviez prévu pour ce chalet. Et ils ne le feront pas pour vous aider, mais uniquement pour me contrarier à travers vous. L'idée de faire installer l'eau venait d'eux, n'est-ce pas? ajouta-t-il avec perspicacité.

La jeune fille se mordit les lèvres.

— Oncle Howard leur faisait confiance. Pourquoi devrais-je agir différemment?

— Dans votre état d'esprit actuel, vous ne me croiriez pas si je vous le disais, répliqua Max d'une voix lasse. Mais sachez ceci: si, pour les empêcher de se servir de vous, je dois contrecarrer vos projets, je n'hésiterai pas à le faire.

— C'est sans doute la raison pour laquelle vous avez éloigné les ouvriers, grinça Laurie.

— Que voulez-vous dire?

— Ne faites pas l'innocent! Ils sont partis voici

quatre jours exécuter un travail urgent. Ils ne sont toujours pas revenus et je ne les reverrai probablement jamais. Grâce à vous !

— Je ne suis pour rien dans cette affaire.

— Ah non ? rétorqua Laurie sur un ton insultant. Si cela ne vous dérange pas, j'aimerais rentrer à Bergheim à présent. Je dois prendre le car.

Sans mot dire, il mit la voiture en marche et retourna à Bergheim. Mais il ne s'y arrêta pas et poursuivit jusqu'à Ausbach.

Arrivé à l'embranchement des deux chemins, il freina et se tourna vers Laurie.

— Je vais vous déposer ici. Je ne tiens pas à embourber ma voiture sur le sentier du chalet.

— Je n'en attendais pas moins de vous, railla-t-elle. Après tout, vous avez bien contraint mon grand-oncle à faire la route à pied par tous les temps !

Serrant les dents, Max la cloua sur son siège.

— Regardez autour de vous ! Cette vallée est entourée de montagnes escarpées. Votre grand-oncle conduisait une vieille voiture terriblement bruyante. Et il insistait pour s'en servir au cœur de l'hiver, lorsque tout était recouvert d'une épaisse couche de neige. Un bruit trop fort suffit à déclencher des avalanches qui risquent de détruire une dizaine de fermes. Un bruit comme celui d'un pot d'échappement cassé ! A présent, descendez de ma voiture et allez jouer dans votre maison de poupée, bébé !

Livide de colère, Laurie sortit et s'éloigna vers son chalet. Au bout de quelques pas, elle se mit à courir. Elle ferma la porte à double tour derrière elle.

La pluie violente de l'après-midi avait arraché la toile du toit et s'était infiltrée dans la maison. Laurie essuya les flaques d'eau sur le sol avec un acharnement rageur. Puis elle monta sur le toit et rattacha plus solidement la bâche. De nouveaux nuages s'amoncelaient dans le ciel. Pourvu que l'orage ne recommence pas !

Au moment de se préparer à dîner, elle se rappela qu'elle n'avait plus de gaz. A cause de sa rencontre avec Max, elle avait oublié d'en racheter à Bergheim ! Bien ! Elle se contenterait donc de fromage et d'une pomme.

Son frugal repas achevé, elle décida de se coucher. Cette journée avait été épuisante. Elle s'endormit rapidement.

Vers une heure du matin, un coup de tonnerre fracassant réveilla Laurie en sursaut. L'orage était juste au-dessus d'elle. Grelottante, elle se blottit au fond de l'alcôve. La pluie crépitait sur la toile goudronnée. Soudain, la bâche se mit à claquer au vent. Allons bon ! Elle s'était encore détachée ! A contrecœur, la jeune fille sortit de son sac de couchage. Si elle ne prenait pas des mesures rapidement, la pièce du haut serait rapidement inondée.

Elle monta les escaliers. Le vent s'engouffrait dans la chambre et entraînait des paquets de pluie. Laurie se hissa sur une vieille chaise et tendit les bras. Mais le vent ne cessait d'éloigner la toile. Exaspérée, elle se haussa sur la pointe des pieds et poussa une petite exclamation victorieuse. Là !

Craac ! Déséquilibrée, la chaise s'était dérobée sous ses pieds ! Laurie s'effondra sur le sol. Lentement, à demi assommée par le choc, elle voulut se redresser. Un gémissement de douleur lui échappa. La pièce se mit à tournoyer autour d'elle. Son poignet droit la faisait atrocement souffrir. Malgré une légère nausée, elle parvint à se relever et descendit dans sa chambre. Son poignet était-il cassé ? Doucement, elle bougea les doigts. Tout allait bien. Ce devait être une simple foulure. Si elle plongeait son bras dans l'eau froide, cela la soulagerait grandement.

De la main gauche, elle empoigna le réservoir à eau

qu'elle avait acheté avant de s'installer au chalet... Et le reposa aussitôt : il était vide ! Maintenant, elle allait devoir sortir sous la pluie !

Péniblement, elle enfila son imperméable d'une main et traversa la cuisine. Arrivée au milieu, elle s'arrêta net en étouffant un cri de terreur. A la lueur d'un éclair, elle avait aperçu une silhouette d'homme à la fenêtre ! Pétrifiée, immobile, elle attendit. Un léger coup fut frappé à sa porte. Elle voulut parler, mais aucun son ne franchit ses lèvres. Un autre coup... Sous une violente poussée, la porte s'ouvrit toute grande. Max apparut, ruisselant de pluie, les cheveux plaqués sur le front.

Laurie le fixa en écarquillant les yeux. Ses genoux tremblants menaçaient de se dérober sous elle.

— Vous... Vous m'avez fait peur, balbutia-t-elle.

— Tenez, buvez ceci !

Il lui tendit un flacon.

— Merci... Pou... Pourriez-vous me le déboucher ? Je me suis fait mal au poignet.

— Montrez-moi cela !

Il lui prit la main avec une douceur infinie et la palpa délicatement.

— Il faudra faire une radio, mais il n'est pas cassé apparemment. Comment est-ce arrivé ?

Laurie le lui expliqua en quelques mots. Max écouta gravement puis il se leva.

— Je vais vous chercher de l'eau puis je monterai fixer la toile, déclara-t-il.

Sans écouter les protestations de Laurie, il s'exécuta aussitôt. Quelques minutes plus tard, il était de retour. Le poignet de la jeune fille avait un peu désenflé dans l'eau fraîche. Elle le regarda éponger son visage trempé.

— Pourquoi êtes-vous venu ?

Ils s'étaient quittés en si mauvais termes ! Et à

présent, il s'occupait d'elle gentiment, comme si de rien n'était.

— J'ai vu de la lumière. Je suis venu m'assurer que tout allait bien.

— Merci, dit-elle sincèrement.

— Avez-vous une écharpe ? Je vais vous confectionner un bandage.

— Il y en a une dans ma chambre.

Max alla la chercher et la lui noua habilement autour du poignet.

— Là ! Cela devrait suffire jusqu'à demain. Allons-y à présent !

— Allons-y ? répéta-t-elle sans comprendre. Où donc ?

— Au château, bien sûr !... Ecoutez-moi ! Je n'ai pas l'intention de vous laisser seule ici dans cet état ! Alors soit vous venez de votre plein gré, soit je vous emmène de force !

— Dans ce cas, je n'ai guère le choix, murmura-t-elle d'une voix tremblante.

— Je vais prendre votre valise.

— Vous êtes trop aimable ! lança-t-elle avec amertume.

— Mais pas du tout ! Entre voisins !...

Son regard sardonique fit baisser les yeux à la jeune fille.

Max était venu en Land Rover. En s'éloignant, Laurie se retourna pour contempler le chalet plongé dans le noir. Il ne lui avait jamais paru plus solitaire et abandonné. Parviendrait-elle un jour à le réparer ? Son compagnon surprit son regard.

— Votre venue au château ne signifie pas que vous avez perdu la bataille, Laurie, dit-il doucement.

Il employait son prénom pour la première fois.

— Ah non ? Et qu'est-ce donc, alors ? Vous avez éloigné les ouvriers et maintenant, je ne vais pas pouvoir travailler avec ce poignet foulé ! soupira-t-elle, déprimée.

— Votre bras doit vraiment vous faire souffrir, commenta Max. Rien d'autre ne saurait vous décourager, j'en suis sûr. C'est bien dommage, d'ailleurs. Je commençais tout juste à prendre plaisir à notre affrontement !

— Plaisir ! s'écria Laurie en se redressant. Vous... Vous !...

Le jeune homme partit d'un grand rire.

— Voilà qui est mieux !

Malgré elle, Laurie se joignit à son rire. Ils étaient arrivés. Max l'aida à descendre de voiture et ils coururent vers une grande tour. Un immense escalier circulaire montait au premier étage. Le sol était recouvert d'épais tapis et les murs s'ornaient de panneaux de bois sculptés et de peintures anciennes. Des coffres splendides, des sofas délicats et des chaises de bois poli décoraient chaque embrasure, chaque recoin.

— Votre femme n'appréciera peut-être pas mon arrivé, au beau milieu de la nuit objecta Laurie.

— Mais je ne suis pas marié ! répliqua Max avec une pointe d'amusement.

— Ah !... Alors Rudi n'est pas votre fils ?

— Non, c'est celui de ma sœur. Son mari et elle sont en voyage, et Rudi habite chez nous en attendant leur retour... Voici ! Cette chambre doit être prête.

Il avait ouvert une porte. Laurie écarquilla les yeux, émerveillée. Un lit à baldaquin se dressait au milieu de la pièce. Un voile de dentelle vaporeuse remplaçait les anciennes tapisseries. L'ameublement, de style français, était fin et délicat.

Rayonnante de plaisir, elle se tourna vers Marx.

— C'est ravissant. Merci beaucoup.

— Cette petite porte mène à un cabinet de toilette.

Si vous n'avez plus besoin de rien, je vais me retirer. Bonne nuit, Laurie.

Ses yeux s'attardèrent un moment sur la jeune fille. Puis il s'éloigna.

Laurie erra dans sa chambre, caressant au passage le bois lisse et patiné des meubles. Elle avait toujours apprécié le mobilier ancien et se réjouissait de pouvoir en contempler à loisir pendant quelques jours. Son bras recommençait à lui faire mal. Mieux valait dormir. Elle se glissa entre les draps frais qui sentaient la lavande. Quelle journée !

Ce n'était pas une défaite, affirmait Max. Mais Laurie voyait dans sa venue au château un aveu de sa faiblesse. Elle aurait dû rester au chalet et aller seule chez le médecin le lendemain matin... Non, Max n'aurait jamais accepté. Pourquoi l'avait-il fait venir ? Allait-il en profiter pour changer les serrures du chalet ? Allait-il essayer de le lui reprendre en son absence ?

Agitée de craintes et de doutes, Laurie ne trouvait pas le sommeil. Si seulement elle n'avait jamais entendu parler du chalet Alpenrose !

5

Des rayons de soleil filtraient à travers les fentes des volets. Laurie mit quelques instants à comprendre où elle se trouvait. Elle avait pénétré le formidable bastion von Reistoven. Elle bondit hors de son lit et courut vers une des deux immenses fenêtres de sa chambre. Un jardin à la française s'offrait à sa vue. Les parterres de fleurs harmonieusement symétriques étaient bordés d'allées ratissées. Ça et là, une statue ou un banc de pierre venait rompre le dessin complexe des buissons. Une haie taillée au cordeau séparait à gauche le jardin d'un verger bien entretenu. Sur la droite, on devinait un potager derrière un haut mur de pierre. Plus loin encore, derrière le mur d'enceinte du château, le terrain descendait abruptement jusqu'à la vallée boisée et verdoyante, à demi voilée par la brume matinale. L'orage de la veille n'avait laissé aucune trace. La journée promettait d'être belle.

Laurie se retourna en entendant frapper à la porte. Une domestique entra et offrit de défaire les bagages de la jeune fille tandis qu'elle se préparerait.

La salle de bains était petite mais pourvue de tout le confort imaginable. Ensuite, la servante conduisit Laurie à travers un dédale interminable de couloirs jusqu'à une pièce illuminée de soleil. A son entrée, *Frau* von Reistoven se leva de table.

— Comment allez-vous, ma chère enfant ? Max m'a appris votre accident, j'en suis désolée ! Votre poignet vous fait-il beaucoup souffrir ?

Laurie la rassura. Elle se sentait beaucoup mieux...

— Je vais vous emmener à l'hôpital pour faire faire une radio, déclara son hôtesse. Max avait l'intention de vous accompagner lui-même, mais il a été obligé de partir. Il ne rentrera pas avant ce soir.

Quelle pouvait bien être cette affaire urgente ? se demanda sombrement Laurie. Elle n'en sut pas davantage. Déjà, *Frau* von Reistoven parlait de choses et d'autres tout en lui offrant des petits pains tout chauds, croustillants et tendres. Laurie se rendit compte qu'elle mourait de faim et mangea de bon cœur, sous l'œil amusé de la mère de Max.

Un chauffeur les conduisit à l'hôpital. La radio était rassurante. Le médecin confectionna un bandage élastique et rassura Laurie : elle pourrait se servir normalement de son bras d'ici à une semaine.

La jeune fille espérait apercevoir le chalet sur le chemin du retour, mais le chauffeur passa par la route principale, de l'autre côté du château. Il klaxonna et le portail massif s'ouvrit tout grand. La voiture s'engagea alors sur le pont qui franchissait une ancienne douve. Puis ils s'enfoncèrent sous un tunnel obscur et émergèrent dans une grande cour ensoleillée.

Extasiée, Laurie regarda autour d'elle. Le château avait trois ailes perpendiculaires. Loin d'être triste et nue, la cour était plantée de multiples parterres fleuris, de pelouses veloutées et de massifs colorés tels des joyaux chatoyants sur l'écrin gris des pierres. Une fontaine s'élevait au centre et des plantes grimpantes, ruisselantes de fleurs, encadraient les fenêtres.

A regret, Laurie suivit son hôtesse jusqu'à la porte

d'entrée. Un linteau de pierre surmonté d'un bas-relief encadrait la porte de chêne massif. La poignée de bronze représentait une tête de lion tenant un anneau dans sa gueule. Elles traversèrent un vestibule superbement meublé et longèrent un corridor décoré de tapisseries, d'armures et de boiseries. Emerveillée, ne sachant plus où donner des yeux, Laurie franchit une porte tenue ouverte par un domestique sans même s'en apercevoir. Elle était dans une pièce visiblement décorée par une main de femme, de meubles élégants et fins.

— Voici mon boudoir, annonça Anna von Reistoven. Voulez-vous vous reposer avant le déjeuner, ou préférez-vous visiter les jardins ?

Laurie opta pour les jardins, au grand plaisir de sa compagne. Les jardins, lui expliqua-t-elle, étaient sa plus grande joie et sa plus grande fierté. A juste titre, songea Laurie, stupéfaite d'une telle variété et d'une telle beauté.

— Seigneur ! Quelle complexité !

Elle se tenait au milieu d'un jardin aquatique et ne pouvait détacher ses yeux de la cascade qui chantait gaiement et des multiples rus qui la composaient.

— J'y passe le plus clair de mon temps, expliqua *Frau* von Reistoven. Le jardinage a toujours été ma distraction favorite. Max préfère s'occuper des bois, des fermes et des vignes.

— Des vignes ? s'étonna Laurie. Mais je n'en ai jamais vu par ici !

— Non, on n'en cultive pas dans cette région. Mais nous possédons des vignobles dans les plaines autrichiennes. Dans la région de Wachau, par exemple, tout à côté de Vienne.

Elles avaient contourné le château et arrivèrent sur une terrasse. Elément insolite dans cette antique demeure, une piscine y avait été construite. Anna von Reistoven sourit devant l'air étonné de sa compagne.

— Le grand plaisir de mon fils! déclara-t-elle en tendant un bras cérémonieusement. Il y nage tous les matins avant le petit déjeuner. La piscine est à votre disposition, Laurie. Utilisez-la aussi souvent que vous le désirez.

La jeune fille la remercia chaleureusement... Tout en se promettant intérieurement de nager uniquement l'après-midi ou le soir, afin d'éviter toute rencontre avec le seigneur des lieux!

Dans la soirée, la servante, Heidi, vint chercher Laurie pour l'emmener au grand salon. La jeune fille avait hésité avant de choisir pour dîner une robe carmin simple mais élégante. Elles tournèrent d'innombrables fois dans des corridors interminables, puis débouchèrent sur une pièce gigantesque, très haute de plafond. Une galerie formait une loggia sur trois côtés et se terminait par un escalier majestueux, éclairé de flambeaux. La lumière se reflétait sur les casques et les cuirasses d'une rangée d'armures, leur donnant une apparence de vie saisissante. Une collection d'épées, de lances et d'armes diverses ornait les boiseries murales. Une immense cheminée, surmontée d'un blason frappé aux armes des von Reistoven, occupait un coin de la salle.

Laurie, émerveillée, ferma à demi les paupières et se mit à valser au centre de la pièce. Tout, ici, évoquait des images du passé... Chevaliers galopant dans la lice, jeunes gens se hâtant au pied des tours où leur belle attendait, troubadours entonnant des complaintes d'amour et de guerre...

Elle s'arrêta brutalement. Un homme, plus grand, plus vivant que toutes ces images, l'observait silencieusement du haut de la galerie.

Max descendit lentement les marches. Sa tenue de

soirée noire et sa chemise d'un blanc immaculé rehaussaient son hâle et soulignaient la largeur de ses robustes épaules. Il vint vers Laurie, une expression indéfinissable dans le regard... De l'amusement, assurément, mais autre chose aussi... Oui, autre chose. Très cérémonieusement, il s'inclina et porta la main de la jeune fille à ses lèvres. Il l'effleura à peine, mais son souffle chaud troubla la jeune fille. Il se redressa. Ses yeux, de la couleur du ciel, plongèrent dans ceux de Laurie. Involontairement, elle frissonna.

— *Willkommen*. Bienvenue sous mon toit, Laurie, murmura-t-il.

Elle sourit pour masquer son émoi.

— Quelle pièce magnifique ! Le mouvement romantique aurait pu y naître, n'est-ce pas ?

— Aux yeux d'un étranger, certainement. Mais j'ai vécu ici toute ma vie et je suis un peu blasé, je l'avoue. Je dois apprendre à contempler cette pièce à travers vos yeux.

Galamment, il la conduisit à une arcade dissimulée sous l'escalier. Ils entrèrent dans une pièce où plusieurs invités attendaient déjà. *Frau* von Reistoven vint prendre Laurie par le bras et la présenta à chacun. Puis tout le monde s'installa autour de la grande table de la salle à manger. Le voisin de laurie avait passé quelques années en Angleterre et parlait couramment la langue. Elle put donc bavarder et rire avec lui tout au long du repas. Mais elle toucha à peine aux plats délicieux qu'on lui présentait. Ses yeux se tournaient constamment vers Max, assis à l'autre bout de la table. Il écoutait courtoisement une remarque de sa voisine de droite, répondait en souriant à sa voisine de gauche... Il était l'hôte parfait, parfaitement à l'aise. Dans ce cadre, comment reconnaître l'homme cruel qui avait persécuté son grand-oncle ?

Son voisin de table lui posa une question à propos de

Londres, et elle se tourna vers lui. Aussitôt, elle se sentit observée... Lentement, elle releva les yeux et son regard croisa celui de Max. Brièvement, ils se fixèrent. Mais déjà, Anna von Reistoven se levait. Il était l'heure, pour les femmes, de se retirer au salon.

Le reste de la soirée passa très vite. Après avoir raccompagné les invités à la porte, Max s'excusa et disparut. Sa mère guida Laurie jusqu'à sa chambre et lui souhaita bonne nuit.

Cependant, la jeune fille n'avait jamais eu aussi peu sommeil de sa vie. Elle sortit son bloc de papier à lettres pour écrire à Richard, mais son poignet bandé rendait cette tâche malaisée. De plus, elle ne parvenait pas à se concentrer. Lentement, elle reposa son stylo et s'avoua ce qu'elle pressentait depuis longtemps. Elle se sentait attirée par Max !... Mais elle allait épouser Richard, pourtant... Elle n'avait aucun droit de ressentir une telle émotion auprès d'un autre, de vouloir être près de lui, de le toucher !... Surtout un être aussi impitoyable et cruel que Max von Reistoven !... En y réfléchissant, elle avait été séduite par lui dès le premier jour. C'est pourquoi elle s'était prise d'une telle animosité à son égard en découvrant la vérité. Si elle ne l'avait pas trouvé aussi sympathique, elle n'aurait pas réagi aussi violemment !

Bien ! Donc, elle était... éprise de Max ? Ce n'était rien de sérieux, s'affirma-t-elle avec force. Elle le connaissait trop bien ; pour rien au monde elle ne lui laisserait deviner ce sentiment passager. D'ailleurs, en quoi cela l'intéresserait-il ? songea-t-elle, pleine d'une cruelle ironie. Max l'avait traitée avec mépris et dédain depuis qu'elle avait décidé de lui résister. Certes, une fois ou deux, elle avait surpris une curieuse lueur dans son regard... Sans doute de la moquerie devant sa naïveté !

Elle ferait bien de quitter le château le plus vite

possible. Elle devait s'éloigner de Max, retourner auprès de Richard. Morose, elle se leva et alla se contempler dans le miroir. Son visage était pâle et tiré, ses yeux brillaient trop. Comment pourrait-elle retrouver Richard, l'épouser, vivre à ses côtés tout en désirant être auprès d'un autre ? De tout son être, elle aspirait à sentir les bras de Max se refermer sur elle, à connaître la protection et la sécurité de son étreinte...

Agacée, elle ouvrit la fenêtre. La lune éclairait les pics neigeux de la montagne. Pourquoi n'avait-elle jamais rien ressenti de tel avec Richard ? Pourtant, il était si gentil... Il la couvait d'un regard admiratif, il la comblait de compliments au lieu de la traiter de sotte et de se mettre en colère à chacune de leurs rencontres...

Laurie poussa un soupir et baissa les yeux. L'eau de la piscine miroitait dans la semi-obscurité. Elle était fraîche et tentante. Soudain, Laurie eut envie de s'y plonger, d'y nager jusqu'à épuisement, pour tout oublier et sombrer ensuite dans le sommeil.

En un clin d'œil, elle enfila son maillot de bain et un peignoir. Après quelques hésitations, elle trouva son chemin et arriva au bord de la piscine.

Tête la première, elle plongea dans l'eau tiède, puis fit plusieurs longueurs d'un crawl énergique et rapide avant de se retourner sur le dos pour se laisser flotter paisiblement.

L'arôme puissant de la fumée d'un cigare parvint à ses narines. Laurie se retourna et nagea jusqu'aux marches. Sans même l'avoir vu, elle savait que c'était *lui*. Elle se hissa sur le bord. Max, confortablement installé dans une chaise longue, fumait un gros Havane.

La jeune fille ôta son bonnet de bain et secoua la tête pour libérer ses cheveux. Puis elle avança vers lui à pas lents. Sans un mot, il se leva et l'aida à enfiler son peignoir. Il sentait à la fois le tabac et l'eau de toilette.

— Avez-vous coutume de prendre des bains de minuit ?

Laurie eut l'impression que les mains de Max s'attardaient un peu sur ses épaules.

— Je n'arrivais pas à dormir.

— Vous nagez bien... Comment va votre poignet ?

— Oh, beaucoup mieux, merci ! Le médecin m'a conseillé de garder le bandage une semaine, mais je peux déjà bouger presque normalement.

Max ramassa la bande de toile élastique que Laurie avait ôtée avant de plonger.

— Laissez-moi vous la remettre.

Il s'en acquitta avec soin. Mais il ne lâcha pas aussitôt la main de Laurie, comme s'il voulait être sûr d'avoir bien remis le bandage en place. La jeune fille n'osait pas lever les yeux.

— Merci, dit-elle le plus calmement possible. Je vais pouvoir retourner au chalet dès demain.

Il la lâcha et alla s'asseoir sur une chaise longue.

— Je voulais justement vous en parler. J'ai pris la liberté de contacter moi-même l'entrepreneur. Il est retourné au chalet dans la matinée, mais la cheminée a été endommagée, les ouvriers ne peuvent plus travailler sur le toit avant de l'avoir réparée. Et il serait très dangereux pour vous d'y habiter dans ces conditions.

Laurie se redressa brutalement, des éclairs de colère dans les yeux.

— La cheminée était en parfait état jusqu'à présent ! Je me demandais pourquoi vous étiez si désireux de me faire quitter le chalet ! Qu'avez-vous fait ?

— Que signifie cette remarque ? articula Max froidement.

— Vous m'avez amenée ici pour pouvoir rôder tranquillement autour du chalet ! Vous seriez parfaitement capable...

Hors de lui, il se leva d'un bond.

— Petite insensée ! Si j'avais voulu endommager le chalet, j'aurais pu le faire lorsque vous étiez à l'hôtel ! Mais pourquoi diable voudrais-je abîmer mon bien ? Comment savez-vous si la cheminée était en bon état ? L'entrepreneur l'a-t-il examinée ?

— Bien entendu !

Laurie n'enavait pas la moindre idée, mais elle n'allait tout de même pas l'avouer !

— Laurie, si votre grand-oncle n'avait pas entamé ce procès interminable, je me serais moi-même chargé de l'entretien de ce chalet. Qu'allez-vous donc imaginer ? Je suis navré de voir la maison dans cet état. Une demeure qui appartient à notre famille depuis des générations ! Et je n'ai pas l'habitude de tromper les gens dans leur dos... Surtout lorsqu'ils se trouvent être mes hôtes !

Ses yeux aux reflets métalliques s'attardèrent un instant sur Laurie. Puis, jetant rageusement son cigare à terre, il s'éloigna à grandes enjambées.

— Max !

Il s'arrêta et lui fit face.

— Je... J'ai été très grossière envers vous. Pardonnez-moi.

Incapable de soutenir son regard, elle tenait les yeux obstinément baissés. Max ne répondit pas tout de suite. En quelques pas, il fut devant elle. D'un doigt, il lui releva le menton et la contempla sombrement.

— Décidément, nous ne pouvons pas nous rencontrer sans nous quereller. Sans doute est-ce dû à nos caractères respectifs.

Laurie sourit faiblement.

— Nous sommes *tous les deux* têtus comme des mules.

— Me suis-je donc montré si tyrannique, petite fille ?

Elle sentit les larmes lui picoter les paupières et

secoua la tête sans répondre, irritée contre elle-même. Pourquoi un seul mot gentil de Max la troublait-il à ce point?

— Faisons un pacte, suggéra Max. Pendant toute la durée de votre séjour au château, nous nous accorderons une trêve. Ni l'un ni l'autre nous ne nous occuperons du chalet Alpenrose... Peut-être même devrions-nous éviter d'en parler! ajouta-t-il avec un sourire malicieux. Mais si jamais vous changez d'avis, mon offre d'achat tient toujours. Je vous rembourserais également toutes les réparations effectuées à vos frais, bien entendu.

— Et si je refuse toujours?

Il haussa les épaules.

— N'y pensons pas pour l'instant.

— Essaierez-vous de me déposséder du chalet par un procès?

— Je n'ai jamais fait appel à la justice, lui rappela-t-il. C'est votre grand-oncle qui m'a intenté un procès. Et vous n'avez guère les moyens financiers de vous attaquer à moi.

— Ah non? Oubliez-vous mon fiancé? Il est avocat! Cela ne me coûtera pas un centime!

Max resta immobile un instant. Puis son visage se ferma.

— Ah c'est vrai! Votre fiancé officieux! Eh bien nous sommes à égalité. Décidons-nous d'une trêve?

Une fois de plus, ils étaient dressés l'un contre l'autre, songea amèrement Laurie. Max avait raison, sa proposition était la seule raisonnable tant qu'elle demeurerait sous son toit.

— D'accord, accepta-t-elle à contrecœur. Mais seulement pour le moment.

Max la scruta d'un air amusé.

— A mon avis, vous ne gagnerez jamais le prix Nobel de la paix!... Ma mère vous a-t-elle déjà emmenée faire le tour du château ? reprit-il, changeant délibérément de sujet. Non ? Dans ce cas, elle vous le proposera certainement demain matin. Mais peut-être accepterez-vous de m'accompagner après le déjeuner ? Je dois rendre quelques visites. Cela pourrait vous intéresser.

— Merci, ce sera sûrement très agréable, répondit Laurie après une brève hésitation.

Comme promis, Laurie visita le château en compagnie d'Anna von Reistoven le lendemain matin. Celle-ci répondit de bonne grâce à ses innombrables questions, mais l'intérieur de son domaine l'intéressait visiblement moins que les jardins. Laurie, quant à elle, se passionnait pour l'artisanat. Elle ne se lassait pas d'admirer les meubles anciens, amoureusement façonnés par des mains habiles.

— Venez, vous n'avez pas encore vu la chapelle et les appartements du haut, la pressa son hôtesse tandis qu'elle s'attardait une fois de plus.

Bientôt, Laurie fut confondue par le nombre impressionnant de pièces. Elle vit arriver l'heure du déjeuner avec un certain soulagement. Cette abondance de beauté la dépassait un peu.

Max n'assista pas au repas. Il rejoindrait Laurie un peu plus tard, lui apprit un domestique. Elle le retrouva dans la cour, à côté de sa Mercedes. Rudi se précipita vers eux en courant, Prinz sur les talons.

— Tu ne peux pas emmener ton chien ! déclara Max sévèrement.

Le garçonnet se lança aussitôt dans une discussion passionnée en allemand. Bientôt, il repartit vers le château, tête basse.

— Ne peut-il pas nous accompagner ? plaida Laurie.

— Non. Il doit apprendre à se séparer de son chien de temps à autre.

Ils firent le tour des terres, s'arrêtant ici ou là dans une ferme. Max discutait avec le fermier, tandis que Laurie se promenait avec son épouse.

— Je regrette vraiment de ne pas parler l'allemand, soupira-t-elle sur le chemin du retour. J'aurais tant voulu parler avec ces gens !

— De toute façon, vous ne les auriez pas compris,, répondit Max. Les habitants des montagnes parlent différents dialectes. Ils varient d'un canton à l'autre, et parfois même d'un village à l'autre. C'est d'ailleurs un peu la même chose en Grande-Bretagne, je crois ?

— Avez-vous passé beaucoup de temps en Angleterre ?

— Oui ; j'y suis resté un an pour apprendre la langue, avant de revenir m'occuper du domaine.

— Cela vous prend beaucoup de temps, m'a-t-il semblé ?

— En effet. Mais je dois souvent m'absenter pour d'autres affaires également. En fait, je vais me rendre à Vienne très prochainement.

Avant de rentrer au château, ils firent une dernière halte dans la cabane d'un garde forestier. Ils descendirent de voiture et empruntèrent un sentier embroussaillé sur quelques centaines de mètres. Max observa les arbustes et les fougères d'un air mécontent.

— Le vieux Johann est censé dégager les chemins, mais manifestement, ce travail devient trop pénible pour lui. Je vais devoir le remplacer par un homme plus jeune.

— Qu'adviendra-t-il de lui ? s'enquit Laurie.

— Une de ses filles est mariée et vit dans un village voisin. Je vais essayer de le convaincre d'aller s'installer chez elle.

Lorsqu'ils atteignirent la cabane, un vieillard chauve et édenté sortit pour les accueillir chaleureusement. Max le prit par le bras et l'entraîna un peu plus loin.

Laurie n'entendait rien, mais il était clair que l'employé n'était pas content. Finalement, il hocha la tête à contrecœur. Max rejoignit sa compagne.

— A-t-il accepté de partir ?

— Après discussion, oui, sourit Max. Mais il refuse d'aller chez sa fille. Il n'aime pas son gendre. Alors il va venir s'installer au château et aidera aux écuries... Cela vous surprend-il ? Vous vous attendiez sans doute à me voir le jeter au ruisseau !

— N... Non, certainement pas ! balbutia Laurie.

Mais cette idée lui avait traversé l'esprit.

— Il y a toujours une place au château pour les anciens employés et leur famille lorsqu'ils ne savent pas où aller. Nous leur versons une pension et nous nous occupons d'eux s'ils sont très âgés ou malades. Les von Reistoven veillent sur les leurs, Laurie.

S'il avait espéré l'impressionner en lui montrant ses terres, il avait réussi. En revanche, elle comprenait mal pourquoi le chalet Alpenrose avait une telle importance pour lui. Cependant, elle le devinait vaguement, à présent : le chalet représentait à peine un pour cent de ses domaines, mais il était comme une plaie ouverte au milieu de toutes ces terres si méticuleusement entretenues. Tout de même, comment avait-il pu en venir à de telles extrémités pour cette simple raison ? C'était incompréhensible...

Frau von Reistoven les attendait à la porte du château. Elle semblait bouleversée et courut à la voiture.

— Rudi n'est pas rentré de tout l'après-midi, s'écria-t-elle. Tout d'abord, j'ai cru qu'il boudait parce que vous ne l'aviez pas emmené, mais il n'est pas revenu pour le goûter. Je t'en prie, Max, pars à sa recherche !

Laurie insista pour l'accompagner, et ils se mirent aussitôt en route. Jamais les bois n'avaient paru aussi vastes à la jeune fille. Ils commençaient à s'inquiéter sérieusement lorsqu'ils entendirent les jappements de Prinz.

— Cela venait de cette direction! s'exclama Laurie.

Elle désignait un épais bouquet d'arbres embroussaillés. Max écarta les branches et s'enfonça dans les taillis, suivi de Laurie. Bientôt, ils découvrirent Prinz au pied d'un pin. Sa langue rose pendait lamentablement. Il se remit à aboyer en les voyant arriver.

— Mais où est...

Un cri retentit au-dessus de leurs têtes. Rudi était bel et bien bloqué au sommet de l'arbre, entre deux branches. En maugréant, Max grimpa lentement. Il évitait soigneusement de s'accrocher aux branches trop frêles, de crainte de tomber.

Enfin, Rudi, sain et sauf, posa le pied à terre. Il se précipita sur son chien et le serra dans ses bras.

— Il ne me quitte pas, expliqua-t-il dans son anglais hésitant. Il reste et garde moi.

Max sauta à terre à son tour et s'épousseta.

— Ce chien est un véritable fléau, déclara-t-il à son neveu. C'est lui qui t'a mis dans cette situation, je suppose?

— Oui. Il poursuivait un écureuil et il a grimpé sur l'arbre. Je suis monté pour le rattraper, mais je n'ai pas pu redescendre.

Les von Reistoven ne recevaient pas d'invités ce soir-là. Le dîner fut servi dans une pièce moins énorme, sans être petite pour autant.

— C'est tellement plus agréable, n'est-ce pas? déclara Anna von Reistoven. Max et moi dînons toujours ici lorsque nous sommes en famille.

Emue par ce compliment, Laurie répondit par un sourire chaleureux. Mais le visage de Max exprimait un total désaccord avec sa mère, bien qu'il s'abstînt poliment de l'énoncer à haute voix. *Frau* von Reistoven entretint la conversation au cours du repas. De l'art en général, la discussion s'orienta vers la musique.

— Avez-vous déjà assisté à un opéra de Wagner, Laurie ? s'enquit-elle. L'Opéra de Londres est assez renommé, je crois ?

— En effet, c'est un des meilleurs, en dehors des italiens. Malheureusement, je n'ai jamais eu l'occasion d'y entendre les œuvres de Wagner. Je les connais, bien entendu, mais j'aimerais beaucoup assister à une représentation.

La conversation roula sur d'autres sujets. Max s'excusa un instant et se rendit dans son bureau. Il rejoignit les deux femmes au salon.

— J'ai appelé l'Opéra de Bregenz, annonça-t-il d'un ton détaché. On y joue le *Crépuscule des Dieux* à l'occasion du festival de musique. J'ai réservé des places pour demain soir.

Frau von Reistoven fut enthousiasmée.

— Oh Max ! C'est merveilleux ! Voir une œuvre de Wagner pour la première fois à Bregenz ! C'est une expérience inoubliable ! Voyez-vous, mon enfant, le théâtre est en fait...

— Non, mère, n'en dites pas plus. Laissons donc la surprise à Laurie, l'interrompit Max.

— C'est vrai, sourit-elle. Mais, Max, nous devrons y passer la nuit ! Les hôtels doivent être pleins à cette époque de l'année !

— Je m'en suis déjà occupé... Vous ne dites rien, Laurie ?

Elle le contemplait, si grand, si droit, à côté de la haute cheminée. Son cœur battait à tout rompre, et elle craignait de trahir son trouble.

— M... Merci, vous êtes très aimable, balbutia-t-elle d'une voix sourde.

Max fut-il déçu par son manque d'entrain ? Il s'inclina courtoisement.

— Je suis heureux de faire plaisir à mon invitée, dit-il du bout des lèvres.

Frau von Reistoven avait dit vrai : une visite à l'Opéra de Bregenz était assurément inoubliable. Ils se mirent en route en début d'après-midi et traversèrent le Tyrol sous un soleil éclatant. Ils atteignirent leur hôtel juste à temps pour dîner. Puis, ils se rendirent en voiture jusqu'à un grand bâtiment au bord du lac de Constance. Mais une fois l'entrée franchie, Laurie s'immobilisa net, les yeux agrandis de stupéfaction. Le théâtre était à ciel ouvert !... Des gradins de terre battue s'étageaient en demi-cercle autour de la scène. Et la scène elle-même était l'élément le plus extraordinaire de l'ensemble : nulle avant-scène, aucun rideau de velours, pas de projecteurs... Une sorte d'estrade en forme de losange avait été littéralement érigée sur le lac. Perdue dans le lointain, l'autre rive servait seule de toile de fond. De part et d'autre de la scène, construite sur trois niveaux, des digues étroites permettaient aux acteurs d'accéder au centre. Derrière, des jets d'eau colorés s'élançaient haut dans le ciel, en arcs-en-ciel éclatants. La réplique exacte d'un galion, toutes voiles dehors, était ancrée près de l'estrade.

Emerveillée, Laurie contempla ce décor extraordinaire pendant un long moment. Puis Max lui effleura le coude.

— Allons nous asseoir, voulez-vous ?

Elle se retourna et réalisa qu'elle bloquait le passage. Confuse, elle suivit le jeune homme. Une fois installée, Laurie se tourna vers lui.

— Je vous remercie de ne m'avoir rien dit, sourit-elle. C'était vraiment une surprise merveilleuse.

— Vous m'approuvez donc ?

— Oh ! oui ! Mais comment a-t-on construit cette scène sur l'eau ?

— On a enfoncé des pilotis dans le lac, je crois. Mais je ne suis pas ingénieur. Ce théâtre a un seul inconvénient : il faut parfois annuler les représentations à cause de la pluie. Nous avons de la chance, ce soir, ajouta-t-il en jetant un coup d'œil au ciel illuminé d'étoiles.

Laurie se sentait étrangement heureuse. Ils avaient respecté leur trêve et n'avaient fait de toute la journée aucune allusion au chalet. Peu à peu, elle s'était détendue et Max était redevenu le charmant compagnon du premier jour. La présence de sa mère ajoutait également une note fort agréable. Oui, décidément, cette soirée s'annonçait très bien.

Bientôt, elle se captiva pour les aventures de Siegfried et de Brunehilde, frémit à la chevauchée des Walkyries, retint à grand-peine ses larmes à la mort tragique de Siegfried, et fut ensuite saisie d'effroi par la marche funèbre bouleversante. Lorsque les lumières se rallumèrent, elle s'essuya discrètement les yeux. Mais Max remarqua son geste.

— Ainsi, ces amants malheureux vous ont émue ?

Laurie remit son mouchoir dans son sac et s'efforça de sourire.

— Oh ! Les fins tragiques ont toujours le même effet sur moi. C'est stupide ! Après tout, ce n'est qu'un opéra !

— Et pourquoi serait-ce stupide ? Tout comme les acteurs, vous vivez cette tragédie. Elle vous semble réelle. Cela ne dure pas longtemps, bien sûr, mais pendant ces courts instants, tout vous arrive vraiment, ce drame devient le vôtre. Alors pourquoi ne pleureriez-vous pas dans les moments tragiques ? Vous avez bien souri avec plaisir lorsque Siegfried et Brunhilde se sont embrassés, je vous ai vue !... Mais les Anglais, il est vrai, sont des gens froids. Ils ont horreur de manifester leurs émotions. Nous autres Autrichiens sommes beaucoup plus démonstratifs. L'Italie est proche, nous avons hérité en partie du tempérament latin.

— Je vous ai vu manifester une seule émotion, c'est la colère, riposta Laurie. Je l'avoue, vous la vivez fort bien. Mais je n'ai pas encore eu l'occasion d'observer l'autre face de votre caractère.

— L'autre face ?

— Votre côté... hum... romantique ?

— Ah ! Cet aspect-là ! s'exclama-t-il en riant. Et pourquoi croyez-vous que cela fasse partie de ma nature ?

Mais cela en faisait effectivement partie et il le prouva de façon éclatante le soir même...

Ils étaient allés dans un restaurant pour souper. Max leur avait obtenu une table située de façon idéale, assez proche de la piste de danse, mais pas trop, pour ne pas être gênés par la musique. Ils venaient à peine de s'asseoir lorsqu'un cri réjoui retentit.

— Max !

Une grande jeune fille blonde s'arrêta devant eux. Max se leva avec un large sourire et l'embrassa sur les deux joues. Laurie eut l'impression de recevoir un coup de poignard. Sous la table, elle crispa ses mains l'une contre l'autre.

— Katrina ! Quelle bonne surprise ! s'exclama Anna von Reistoven. Hendrik est-il avec vous ? Mais oui ! Le voilà !

Un jeune homme d'une beauté éclatante venait d'apparaître.

— Laurie, voici Katrina Albrich et son cousin, Hendrik Nimsgern. Nos familles sont très liées.

Les présentations faites, Max invita les nouveaux venus à se joindre à eux. Hendrik s'assit à côté de Laurie et engagea rapidement la conversation. Il parlait avec aisance et se montrait charmant. La jeune fille bavarda agréablement avec lui. Mais ses yeux ne quittaient pas Max et Katrina, de l'autre côté de la table. Ils parlaient en allemand, pourtant cela ne faisait aucune différence pour Laurie. La situation était suffisamment claire et ne requérait aucune explication. Katrina avait le regard brillant. Elle se détourna coquettement lorsque Max voulut lui prendre la main, faisant mine de résister pour mieux la lui laisser.

Katrina, décréta Laurie intérieurement, était trop grande. Et trop maniérée. Max était bien sot de se laisser prendre à son jeu ! Il lui restait une seule chose à faire.

— J'*adore* cette musique, pas vous ? s'écria-t-elle avec un sourire éblouissant à l'intention d'Hendrik.

Le jeune homme avait l'esprit vif. Il se leva immédiatement.

— Voulez-vous danser, *Fräulein* ?

A partir de cet instant, Laurie s'étourdit dans un tourbillon de danses, sans se départir un instant de son sourire. Elle paraissait s'amuser follement, au grand plaisir de son cavalier.

— Voulez-vous vous promener au bord du lac ? suggéra-t-il au bout d'un moment. Nous pourrions... heu... compter les étoiles ?

La jeune fille refusa en riant et revint à la table. Mais déjà Max aidait Katrina à enfiler son manteau. Ils quittèrent la salle du restaurant tous les deux.

Allaient-ils compter les étoiles au bord du lac ?...

6

Le lendemain matin, Katrina et Hendrik se joigni-
rent à eux pour le petit déjeuner. Cette fois, le père de
Hendrik, *Herr* Nimsgern, les accompagnait. C'était un
homme charmant. Lui et Anna von Reistoven, ravis de
se retrouver, se plongèrent bientôt dans une grande
conversation amicale.

Tout naturellement, ils décidèrent tous de ne pas se
quitter de la journée. Ils prirent un bateau à vapeur
pour traverser le lac. L'autre rive était suisse. Laurie fut
assez déçue ; la Suisse ne différait en rien de l'Autriche.
L'architecture y était la même, et les gens parlaient
allemand.

Hendrik ne la quitta pas une seconde. Il insistait pour
lui offrir des souvenirs à chaque nouvelle boutique, en
dépit de ses protestations.

— Voyons, vous serez sûrement ravie d'emporter ce
service à fondue en Angleterre ?

— Mais Hendrik ! Je n'ai plus de place dans mes
bagages !

— Hendrik, cessez donc de la couvrir de cadeaux,
sinon elle sera obligée d'affréter un avion spécial pour
tout remporter ! s'interposa Max. Venez, je veux vous
montrer quelque chose.

Adroitement, il l'entraîna, laissant Hendrik derrière
eux.

Le « quelque chose » était une maison ronde à un étage, décorée à l'intérieur de peintures tout à fait inhabituelles. Une fresque couvrait tout le mur du sol au plafond. Elle illustrait un épisode de la guerre de Prusse au cours duquel l'armée française, vaincue, traversa la Suisse au cœur de l'hiver. Les soldats épuisés, blessés ou agonisants, tendaient la main dans un pitoyable appel à l'aide. Les personnages les plus proches étaient presque grandeur nature. Leur longue colonne disparaissait dans le lointain, sombre file d'hommes las, entrecoupée de chariots transportant les blessés et les armes. Sur le côté, un train attendait les malades pour les emmener à l'hôpital. En s'approchant, Laurie découvrit que les wagons étaient réels. Mais ils se fondaient parfaitement dans le tableau. Prise d'un pénible sentiment de réalité, elle frissonna en apercevant du sang sur la neige.

Une main chaude et ferme vint se poser sur son bras glacé. Max la dévisageait attentivement.

— C'est incroyable, lui dit-elle. Tout semble si vrai ! On s'attend à voir les soldats se relever et reprendre leur marche d'une minute à l'autre.

— Comme un instant de vie suspendu ? Oui, je vous comprends. Un épisode de l'histoire a été saisi et fixé à jamais... Mais vous avez froid. Sortons d'ici, le soleil vous réchauffera.

Ils dînèrent sur le ferry-boat, puis Max ramena tout le monde à Bregenz dans sa grande Mercedes grise. Là, ils se firent leurs adieux, car Max désirait repartir très tôt le lendemain pour Ausbach, où il avait une réunion prévue dans l'après-midi.

Dès leur retour, Laurie profita de l'absence du jeune homme pour se glisser hors du château. Mais Rudi l'aperçut et vint la rejoindre en courant.

— Laurie ! Où allez-vous ?

— Au chalet, tout simplement. Je voudrais m'assurer que tout va bien.

La maison avait toujours l'air aussi abandonnée. Le récipient dans lequel Laurie avait plongé son poignet douloureux était encore au milieu de la pièce. Machinalement, elle le vida et fit un peu de rangement. Puis elle s'approcha de la cheminée. Etait-elle vraiment endommagée ? De la cuisine, elle ne vit rien d'anormal... Ni de la chambre...

Prise d'un soupçon grandissant, elle monta au grenier et là... s'arrêta net. Le conduit de la cheminée s'était déplacé de quelques centimètres. Les lourdes pierres, à peine retenues, risquaient de se détacher à tout moment et de s'écraser sur le sol. Et l'alcôve où elle avait dormi se trouvait juste dessous !

Les genoux tremblants, elle sortit du chalet et alla s'asseoir dans l'herbe. Rudi, parfaitement insouciant, jouait à courir au milieu des vaches du fermier. Ainsi, Max avait dit la vérité ! Les pierres avaient dû se desceller pendant l'orage. Il faudrait effectivement les réparer avant de pouvoir travailler sur le toit. Le cœur lourd, elle se demanda si elle aurait suffisamment d'argent pour payer cette nouvelle réparation. Bien sûr, il y avait Richard. Mais Laurie se sentait incapable de faire appel à lui. Pas alors qu'elle se sentait si irrémédiablement attirée par Max.

Il était inutile de se mentir ; elle avait été atrocement jalouse de Katrina ; elle avait souhaité de toutes ses forces être à sa place, dans les bras de Max, lorsqu'il dansait et la contemplait, les yeux mi-clos, un sourire aux lèvres. Jamais auparavant elle ne s'était laissé submerger aussi complètement par ses émotions.

Agacée, elle se leva et entreprit d'arracher des mauvaises herbes sur le chemin. Mais son poignet était encore douloureux, elle dut s'arrêter bien vite. Au diable Max! Pourquoi était-il apparu dans sa vie? Son avenir était tout tracé, jusqu'à son arrivée. Elle allait épouser Richard et mènerait une vie agréable et paisible dans un pavillon de banlieue aux côtés d'un mari charmant...

Laurie soupira. Quoiqu'il advienne de son... son sentiment pour Max, une chose était sûre : elle ne pourrait plus épouser Richard, désormais. Elle serait incapable de reprendre sa vie antérieure comme s'il ne s'était rien passé. Ce serait hypocrite, envers Richard, certes, mais envers elle-même également. Sa vie serait une façade derrière laquelle il lui faudrait mentir.

Et Max? Lui la considérait comme une enfant gâtée, difficile à écarter de son chemin en raison de sa jeunesse. Etait-il amoureux de Katrina? La jeune Autrichienne ne portait pas de bague à l'annulaire. Mais Max avait assurément dévoilé le côté romantique de sa nature en sa compagnie! D'ailleurs, ces vieilles familles aristocratiques du continent respectaient encore les anciennes traditions; peut-être les parents avaient-ils déjà conclu un accord pour unir les deux jeunes gens? Katrina était orpheline et vivait chez son oncle et son cousin, Laurie l'avait appris par Anna von Reistoven.

Elle contempla le château dressé dans le lointain sur son écrin de rocs. Allait-elle tomber vraiment amoureuse de Max? Dieu l'en préserve! Elle n'en tirerait que de l'amertume et du désespoir. D'ailleurs comment serait-ce possible? Comment pouvait-on aimer un homme haï et méprisé?

... Pourquoi alors avait-elle été si jalouse de Katrina?

Les cris de Rudi la tirèrent de ses réflexions. Ce garnement s'était laissé emporter par son jeu, il avait effrayé les vaches et celles-ci commençaient à se rassembler en un groupe menaçant. Laurie l'appela.

— Attention, cow-boy, je suis le shériff et je vais t'attraper !

Ravi, Rudi se mit à courir vers le château, et Laurie le poursuivit tout le long du chemin.

Tout en se préparant pour le dîner, la jeune fille prit une décision douloureuse : quitter le château le plus vite possible, s'éloigner de la présence dangereuse de Max. Il l'attirait aussi sûrement qu'un aimant puissant attire le métal. Mais la seule façon de partir rapidement était de lui céder le chalet Alpenrose ! Pouvait-elle s'y résoudre ? Ne serait-ce pas trahir les souhaits de son grand-oncle ? Sans doute, mais dans le cas contraire, elle se ridiculiserait aux yeux de son ennemi. Et ce serait bien pire. Allons ! Elle devait se montrer ferme. Aussitôt après le dîner, elle demanderait à parler à Max en privé et lui annoncerait sa décision. Elle quitterait le château dès le lendemain et rentrerait en Angleterre. Une fois de retour, elle aurait encore une tâche pénible à accomplir : annoncer à Richard le changement de ses sentiments envers lui. Et ensuite ?... Ensuite, elle se trouverait un nouvel emploi et commencerait une nouvelle vie, en laissant derrière elle tous ses souvenirs d'Autriche... Le plus possible, en tout cas.

A table, Laurie, préoccupée, n'écouta guère la conversation.

— Je vous ai trouvé un petit guide de vocabulaire allemand dans la bibliothèque, déclara *Frau* von Reistoven. Il devrait vous être utile.

— C'est très aimable à vous, merci, murmura Laurie.

Elle essayait vainement de préparer son petit discours à l'intention de Max.

— Des phrases du genre « Où est ma valise jaune ? » ou « Un voleur a dérobé mon parapluie » vous seront certainement nécessaires lorsque nous serons à Vienne, glissa Max.

— A Vienne ? répéta-t-elle d'une voix mal assurée, mais...

— Max ! Méchant garçon ! C'était ma surprise ! protesta sa mère indignée.

Le regard de Laurie allait de l'un à l'autre.

— Mais je ne comprends pas. Vous ne voulez pas dire...

— Si, Laurie ! Max doit passer une semaine à Vienne et je l'ai convaincu de nous emmener. C'est une si belle ville ! Vous devez absolument la visiter !

— Mais... Mais je ne peux pas ! Je vous suis vraiment très reconnaissante, néanmoins, le chalet... J'ai l'intention de...

— Je voulais justement vous en parler, l'interrompit Max. Un de mes maçons se trouve inoccupé et vous me rendriez service en lui confiant la réparation de votre conduit de cheminée. Cela m'éviterait d'avoir à lui chercher une tâche.

Laurie le dévisagea, mais ses yeux exprimaient seulement une interrogation polie. Il mentait effrontément, elle en était sûre ! Il pouvait fournir du travail à dix maçons s'il le désirait. Or tout à coup, elle n'en n'avait cure. Elle aurait dû lui annoncer sa décision immédiatement, lui céder le chalet et repartir. Mais toutes ses bonnes résolutions s'envolèrent.

— Eh bien... S'il n'a vraiment rien d'autre...

— Parfait ! Voici une affaire réglée ! décréta gaiement *Frau* von Reistoven. Je vous ferai visiter la ville et Max travaillera. Il n'aura pas besoin de nous escorter plus de deux fois !

Max fronça les sourcils.

— Nous étions convenus d'une soirée, si mes souvenirs sont exacts, affirma-t-il.

— Voyons ! Nous y passerons longtemps. Tu peux

bien consacrer plus d'une soirée à ta pauvre mère !
plaida-t-elle... Si ce n'est pas pour moi, accepte pour
Laurie !

— Ah ! Pour Laurie !...

Ses yeux s'attardèrent sur la jeune fille.

— Dans ce cas, c'est différent !

Il la taquinait, bien sûr, mais elle n'en ressentit pas
moins une curieuse euphorie.

— Merci ! s'écria-t-elle en embrassant son hôtesse...
Merci, répéta-t-elle en se tournant vers Max.

— Ah ! Si je ne reçois pas un baiser moi aussi, le
contrat est annulé !

Lentement, Laurie alla à lui et l'embrasa légèrement
sur la joue.

— Merci, Max, murmura-t-elle.

Il ne la regarda pas en face. Mais ses lèvres étaient
retroussées en un sourire malicieux.

Vienne ! La ville dépassait ses rêves les plus fous !
Laurie tomba amoureuse des vieux quartiers au premier coup d'œil. Avec un enthousiasme sans cesse
renouvelé, elle explorait les tortueuses ruelles pavées,
où les fleurs semblaient allumer des brasiers sur les
murs sombres. Des pétunias bleus et blancs tombaient
en cascades des corniches, des géraniums rouge feu
débordaient de chaque embrasure, le lierre et la vigne,
verts et pourpres partaient à l'assaut des murailles.

Frau von Reistoven l'emmena dans tous les lieux
touristiques. Laurie accumulait les achats de souvenirs.
Elle n'allait plus dépenser d'argent pour le chalet, elle
pouvait bien se faire plaisir !

— Mais nous sommes en plein été !

Anna von Reistoven riait de bon cœur en voyant la
jeune fille essayer un épais loden. C'était le vêtement
autrichien traditionnel pour l'hiver, idéal par temps de
pluie, de neige ou de grêle. La plupart des lodens

étaient en laine grise ou kaki. Mais celui choisi par Laurie, d'un blanc crémeux, s'ornait de larges bandes rouges et vertes.

— Eh bien! Il restera dans mon armoire jusqu'à l'hiver! riposta Laurie en pirouettant devant le miroir.

... Une fois ou deux, entre ses rendez-vous d'affaires, Max se joignit à elles. Mais un matin, au petit déjeuner, il étonna Laurie.

— Vous n'aviez rien prévu pour aujourd'hui, maman? J'ai l'intention de vous enlever Laurie, si vous me le permettez.

— Certainement, répondit-elle en souriant. En fait, je serai heureuse de me reposer un peu. Le tourisme est une activité parfois fatigante. Je me demande comment toutes ces vieilles dames américaines arrivent à faire tant de choses. Je ne pourrais jamais suivre leur rythme!

— Cela requiert un esprit pionnier, déclara Max.

— Oh! Seigneur! Il a disparu de notre famille depuis bien des générations! Non, je me contenterai décidément de rester à l'hôtel pour aujourd'hui!

— Où m'emmenez-vous? s'enquit Laurie.

— Vous verrez... C'est une surprise.

— Mais je ne sais pas comment m'habiller?

Il détailla longuement la mince silhouette vêtue d'une robe gris clair.

— Ce sera parfait. Vous avez donc ôté votre bandage?

— Oui, mon poignet est tout à fait guéri.

Le portier de l'hôtel se chargea de héler un taxi. En chemin, Max désigna à sa compagne les anciens palais impériaux et lui en conta l'histoire. C'était un guide excellent, habile à faire revivre des instants du passé, là où sa mère, également fort érudite, se contentait de réciter une leçon bien apprise.

Leur voiture s'arrêta devant un grand bâtiment du

xviiiᵉ siècle. Une queue importante de touristes attendait au guichet. Mais Max prit Laurie par le coude et la poussa vers une seconde entrée, déserte. Un gardien en uniforme les salua ; le jeune homme sortit deux billets de sa poche. Ils traversèrent un corridor voûté et débouchèrent dans une vaste salle circulaire, ceinte de galeries ornées de piliers corinthiens. Les murs blancs étaient décorés de motifs baroques raffinés. Laurie baissa les yeux. Le sol était recouvert de terre fine. Le souffle coupé, elle se tourna vers Max.

— Nous sommes à l'Ecole d'équitation espagnole, n'est-ce pas ? Oh Max ! C'est merveilleux !

Il lui acheta un programme et, aussitôt installée, elle le lut avec intérêt. Les premiers chevaux de l'école d'équitation de Vienne, apprit-elle, furent amenés d'Espagne au xviᵉ siècle. Les méthodes de dressage employées à l'école étaient restées rigoureusement semblables depuis plus de trois siècles.

Le spectacle commença. Les fiers étalons blancs paradèrent autour de la piste au son d'une musique ancienne. Puis, levant haut les sabots, ils entamèrent une danse lente. Les cavaliers, vêtus de rouge, maîtrisaient parfaitement leurs montures. Chevaux et cavaliers ne faisaient qu'un. Les bêtes splendides s'élevaient gracieusement dans les airs, pattes recourbées sous eux, puis reprenaient leur trot sitôt à terre.

La démonstration s'acheva trop vite au goût de Laurie. Elle applaudit de toutes ses forces.

— J'ai rarement vu un spectacle aussi beau ! s'exclama-t-elle. Merci mille fois, Max.

— Aimeriez-vous visiter les écuries ?

— Oh ! Serait-ce possible ?

— Je vais arranger cela.

Et en effet, le directeur de l'école les accueillit aimablement et leur fit visiter les stalles lui-même. Les chevaux couverts de sueur étaient bouchonnés par leurs propres cavaliers.

— C'est toujours ainsi, expliqua le directeur. Un homme, un cheval. Lorsqu'un poulain arrive de Piber, près de Graz, on le confie à un cavalier. Il se charge entièrement de son dressage et de ses soins.

Lorsque Max annonça le départ, Laurie se détourna à regret des chevaux, en remerciant chaleureusement leur guide. Très gentiment, celui-ci lui offrit une petite médaille représentant un étalon en train de sauter.

En sortant de l'école, ils traversèrent une petite place bordée d'arbres et continuèrent à pied jusqu'à un café. Le décor rappela à Laurie les images des anciens *pubs* anglais. Mais le son d'une cithare témoignait sans l'ombre d'un doute qu'elle se trouvait bien à Vienne.

Le maître d'hôtel s'avança vers eux.

— *Guten Morgen, Herr Doktor,* salua-t-il.

— *Guten Morgen.*

Il les guida vers une petite table et leur présenta les menus.

— Pourquoi vous a-t-il appelé *Herr Doktor?* chuchota Laurie.

— Les titulaires d'un doctorat dans n'importe quel domaine sont toujours appelés *Herr Doktor,* répondit Max le plus simplement du monde. A présent, que voulez-vous manger?

Laurie consulta la carte. Tout était écrit en allemand. « Allons bon, soupira-t-elle intérieurement, je vais devoir me contenter d'une escalope viennoise une fois de plus ! »

Max lut le désarroi sur son visage.

— Me permettez-vous de choisir à votre place?

Laurie acquiesça et l'entendit commander une longue liste de plats parfaitement inconnus d'elle. On lui apporta une soupe froide en entrée, puis des brochettes de viande très épicées et grillées au feu de bois. Pour le dessert, ils dégustèrent un extraordinaire *apfelstrudel,* le fameux feuilleté aux pommes viennois.

— Comment trouvez-vous le vin ? s'enquit Max.

— Délicieux. Il a un goût fruité fort agréable.

— Tant mieux. Ce vin provient de nos vignes, près d'ici. Je dois aller les inspecter bientôt... Aimeriez-vous m'accompagner ? ajouta-t-il lentement.

Son visage était parfaitement impassible. Serrant son verre, Laurie hocha la tête.

— Très volontiers, merci.

On leur servit le café dans de grands verres surmontés d'une épaisse couche de crème fouettée, légère et onctueuse, puis Max demanda l'addition.

— Je suis navré, mais je vais devoir vous reconduire à l'hôtel, s'excusa-t-il. J'ai un rendez-vous très important cet après-midi.

Même cela n'aurait pu assombrir la journée de Laurie. Rayonnante, elle se précipita dans la chambre de *Frau* von Reistoven pour lui raconter sa visite à l'école d'équitation.

— Mais j'étais au courant ! s'écria celle-ci en riant. Max m'avait avertie ce matin !

— C'était une surprise merveilleuse ! Je ne vais plus apprécier grand-chose à Vienne, après cela !

— N'en soyez pas si sûre. J'ai réservé des billets pour l'Opéra. On y donne un bal pour l'ouverture du festival de musique.

— Un bal ! Mais c'est magnifique !

Laurie se vit dans les bras de Max, tournoyant au rythme d'une valse enivrante.

— Et j'ai une autre bonne nouvelle, reprit Anna von Reistoven d'un air enjoué. Nous allons avoir de la compagnie pour le reste du séjour. *Herr* Nimsgern et Hendrik sont déjà à Vienne, et Katrina arrive aujourd'hui.

— Aujourd'hui ? balbutia Laurie.

Son sourire s'était figé.

— Mais oui. Max est allé la chercher cet après-midi.

Ainsi, c'était donc là son « rendez-vous très important » ! Au prix d'un grand effort, Laurie parvint à garder une apparence gaie et insouciante devant *Frau* von Reistoven. Mais, une fois dans sa chambre, elle se laissa tomber sur son lit et sortit la petite médaille de sa poche. Ils avaient passé ensemble une matinée si agréable ! Ils ne s'étaient pas querellés une minute. Pourtant, l'attitude de Max à son égard avait été assez paternelle, si elle y réfléchissait bien. En fait, il l'avait traitée en petite fille à qui l'on veut faire plaisir.

Laurie se redressa d'un bond et arpenta sa chambre avec irritation. Pourquoi ne l'avait-elle pas compris plus tôt ? D'ailleurs, elle devait bien le reconnaître, sa propre attitude l'y avait invité. Ouvrir de grands yeux sur tout et s'enthousiasmer comme une écolière !... Elle se fit d'amers reproches ; mais à quoi bon ? Une fois ses devoirs d'hôte accomplis, il avait couru rejoindre la belle, l'élégante Katrina. *Elle,* elle avait droit aux murmures flatteurs, aux regards souriants, aux longues promenades au clair de lune, elle...

Laurie s'arrêta soudain devant le miroir de sa coiffeuse. Elle tremblait des pieds à la tête. Elle se contempla longuement, les yeux agrandis, presque effrayée. Que lui arrivait-il ? Elle se torturait elle-même, se laissait aller à des émotions qu'elle s'était juré d'éviter.

Tête basse, elle se laissa tomber sur le rebord de son lit, serrant ses mains de toutes ses forces pour les empêcher de trembler. Elle devait se montrer raisonnable. Il le fallait absolument ! Pour Max, elle était une petite Anglaise, têtue mais agréable. Rien de plus.

Oh ! si seulement il pouvait la voir une fois, juste une fois, comme une femme et non comme une enfant !

Impulsivement, elle saisit son sac à main et se dirigea

vers la porte. Elle aurait besoin d'une robe pour le bal, et elle entendait la choisir avec soin !

Deux jours plus tard, néanmoins, son irritation s'était évanouie. Debout devant son miroir, elle se contemplait avec une certaine appréhension. Oh ! sa robe était remarquable, assurément ! Elle était d'un ravissant gris argent. La jupe longue mettait en valeur ses hanches minces et ses jambes élancées. Mais le haut !... Il était pour ainsi dire inexistant... Deux bandes de tissu à peine assez larges se rejoignaient juste au-dessus de la taille. Et le dos était tout aussi décolleté !

— Eh bien !

Pour une fois, Laurie était à court de mots. Elle avait voulu impressionner Max, mais cette robe... En tout cas, elle ne pourrait pas se permettre de gestes brusques ; elle devrait éviter les danses trop endiablées !... Cependant, même Max, le plus aveugle de tous les hommes, serait obligé de la regarder, pour une fois ! Elle ferait bien, pourtant, de se couvrir jusqu'à l'arrivée à l'Opéra. Soigneusement, elle drapa sur ses épaules une étole noire. Puis elle frappa à la porte de communication et entra dans la suite des von Reistoven.

Max y était seul pour l'instant.

— Ma mère n'est pas encore prête. Désirez-vous boire quelque chose ?

— Oui, un Martini, s'il vous plaît.

Il était plus séduisant que jamais dans sa tenue de soirée blanche. Laurie avait bien besoin d'un verre pour masquer son trouble.

Max le lui tendit et remarqua ses gestes empruntés. D'une main, elle agrippait fermement son étole, tout en essayant de faire passer sa pochette sous son coude.

— Pourquoi n'enlevez-vous pas votre étole ? demanda-t-il innocemment. Il fait chaud, ici.

— Non, non, c'est très bien ainsi, répondit-elle précipitamment. Votre mère ne va sans doute pas tarder. Sommes-nous loin de l'Opéra ?

— Dix minutes à peine, s'il n'y a pas d'embouteillages...

Il se dirigea vers la fenêtre d'un air nonchalant et passa derrière Laurie. Puis, subitement, il fit volte-face et lui ôta son étole.

— *Mein Gott !*

Impressionné, il l'était assurément. Mais pas comme Laurie l'avait souhaité... Après un court silence, il se mit à rire, à rire à gorge déployée.

Laurie connaissait l'expression « sentir ses cheveux se dresser sur sa tête ». Mais, pour la première fois, elle en fit véritablement l'expérience.

— Qu'y a-t-il de si drôle ? grinça-t-elle.

— Vous avez dû oublier une partie de vos vêtements ! Ou peut-être aviez-vous l'intention de danser avec ceci toute la soirée !

Du doigt, il désignait l'étole.

— Certainement pas. Cette robe est à la mode, *Herr* von Reistoven !

— Et vous avez dû la payer une fortune ! railla-t-il. Au nom du ciel, courez vite mettre une tenue décente !

— Je n'ai aucunement l'intention d'en changer !

Les yeux de Laurie lançaient des éclairs.

— Si vous pensez que je vais vous emmener dans ce... dans cet accoutrement, vous vous trompez ! A présent, retournez dans votre chambre et choisissez quelque chose de plus convenable.

— Il n'en est pas question !

— Vous vous comportez comme une enfant gâtée, Laurie. Vous rendez-vous compte de l'effet que produira cette robe ?

— Elle ne semble guère en avoir produit sur vous, lui lança-t-elle amèrement.

— Non, je n'apprécie guère le spectacle de jeunes filles à demi dénudées. En doutiez-vous ?

Il fronçait les sourcils à présent, et sa voix devenait menaçante.

— N... Non, certainement pas...

— Alors, allez vous changer !

S'il avait essayé de discuter raisonnablement avec elle au lieu de lui donner des ordres, Laurie aurait peut-être cédé. Mais, mortifiée, elle lui tint tête.

— Je vous l'ai dit, je n'en ai absolument pas l'intention !

— Petite chipie ! Il est temps de vous donner une bonne leçon ! Et puisque votre fiancé n'est pas là pour s'en charger...

Il lui empoigna le bras et le tordit légèrement. Perdant l'équilibre, Laurie bascula en avant. Il la jeta en travers de ses genoux. Elle se débattit en comprenant son intention. Peine perdue ! Il lui asséna deux claques retentissantes et la remit sur ses pieds.

Profondément humiliée, Laurie serra les poings.

— Comment osez-vous ? Comment osez-vous, grande brute ?... Je voudrais vous...

Elle leva la main, les yeux noirs de rage, mais Max la saisit et la traîna jusqu'à sa chambre. Sans relâcher son étreinte, il ouvrit son placard et en sortit une robe de soirée toute simple qu'elle avait déjà eu l'occasion de porter.

— Tenez, mettez celle-ci ! exigea-t-il.

— Vous n'avez pas d'ordres à me donner ! cria-t-elle. Je n'irai nulle part avec vous, après la façon dont vous m'avez traitée !

Des larmes brûlantes de colère et d'amertume brillaient dans ses yeux. Elle lutta pour se libérer.

— Vous allez retirer cette robe immédiatement, et vous viendrez au bal avec nous.

— Non ! Je ne veux pas ! Je...

— Si vous ne m'obéissez pas, je vous déshabille moi-même !

— Vous… Vous n'oseriez pas !…

Mais un coup d'œil sur son visage lui fit changer d'avis.

— D'accord, d'accord, je me change, capitula-t-elle.

Max la scruta un instant, puis recula d'un pas.

— Je vous accorde dix minutes, décréta-t-il. Si vous n'êtes pas prête avant, je viendrai vous chercher. Et n'essayez pas de vous enfermer dans la salle de bains, j'enfoncerai la porte s'il le faut !

Laurie ne répondit pas et garda les yeux obstinément baissés. Max sortit de sa chambre. Lentement, elle ôta sa robe et en enfila une autre… Mais pas celle choisie par Max. Elle n'allait tout de même pas se laisser dicter tous ses actes ! Elle opta pour une longue robe noire décorée d'un motif blanc géométrique.

Les dix minutes étaient écoulées lorsqu'elle entra dans la pièce voisine. *Frau* von Reistoven était prête. Elle accueillit cordialement la jeune fille et suggéra de se mettre en route aussitôt. Laurie évita soigneusement le regard de Max et ne vit donc pas son expression ironique. Dans le taxi, elle s'assit près de la fenêtre et garda les yeux fixés sur le spectacle de la ville tout le long du trajet.

Frau von Reistoven avait-elle entendu les éclats de leur discussion ? C'était impossible à dire. En tout cas, elle bavarda joyeusement sans arrêt, donnant ainsi à Laurie le temps de retrouver une contenance. Sombrement, celle-ci imaginait tous les traitements qu'elle aimerait infliger à Max. Les charbons ardents et l'huile bouillante tenaient une place importante dans ses rêves de vengeance, mais rien ne pouvait effacer son humiliation. Il l'avait traitée comme une enfant, comme Rudi. Peu à peu, néanmoins, son sens de l'humour reprit le dessus, et elle sourit intérieurement. Après tout, cette robe était effectivement assez indécente !

Lorsqu'ils arrivèrent à l'Opéra, elle avait entièrement retrouvé sa bonne humeur... Mais elle n'en continua pas moins à ignorer Max délibérément. Elle n'allait pas lui pardonner aussi aisément !

Hendrik, Katrina et *Herr* Nimsgern étaient déjà installés à la table réservée par Max, au-dessus de la piste de danse. Katrina portait une somptueuse robe d'un bleu lavande. Elle était très en beauté, Laurie elle-même dut bien se l'avouer. Puis elle remarqua un détail nouveau : un énorme solitaire brillait au doigt de Katrina !

Machinalement, Laurie salua les convives et s'assit. Il lui fallut quelques minutes pour se remettre du choc. Max appartenait bien à une autre ! Une douleur atroce, sourde, lui glaça le cœur. Sans la voir, elle contempla la grande salle toute fleurie, l'orchestre dans sa fosse, les couples glissant sur la piste cirée.

— La valse viennoise diffère de la valse anglaise. Elle est beaucoup plus rapide, et plus gracieuse à mon avis.

Assis à côté d'elle, Hendrik entretenait poliment la conversation. Laurie se ressaisit. Le jeune homme lui parlait depuis un bon moment déjà.

— Euh... Vont-ils jouer des valses toute la soirée ?

— Ciel ! Non ! Les Viennois eux-mêmes en auraient assez ! L'orchestre alterne avec un groupe de musique moderne. Ainsi, tout le monde est content. Mais peut-être me permettrez-vous de vous enseigner la valse viennoise ?

Prenant la main de Laurie, il la guida entre les tables et la précéda dans l'escalier étroit qui menait à la piste. De nombreux couples, très élégants, dansaient déjà. Laurie était bonne danseuse, elle apprit vite les nouveaux pas. Courageusement, elle décida d'oublier sa peine et leva un visage souriant vers son cavalier.

Peu à peu, elle se laissa emporter par la musique, oubliant tout hormis le rythme enivrant, vertigineux, tournant de plus en plus vite, de plus en plus vite, à mesure que la musique s'accélérait et s'enflait. L'orchestre s'arrêta dans un grand roulement de tambours. Deux taches rouges illuminaient les joues de Laurie. Elle était hors d'haleine.

Hendrik lui passa un bras autour des épaules.

— Nous avons bien besoin d'un verre, je crois.

Mais au lieu de la ramener à la table commune, il l'entraîna vers un bar faiblement éclairé et l'installa à une petite table tranquille. Laurie but avidement quelques gorgées et s'arrêta en toussant. C'était un alcool très fort.

— Qu'est-ce que c'est ? haleta-t-elle.

Hendrik rit gaiement.

— C'est du Schnaps, notre boisson nationale. Vous vous y habituerez. Et vous ne pouviez pas rentrer en Angleterre sans y avoir goûté !

Laurie était toujours prête à tout essayer, mais décidément, le Schnaps ne lui plaisait pas. Ils retournèrent sur la piste et valsèrent à nouveau sous les grands lustres de cristal ruisselants de lumière. Brusquement, la jeune fille aperçut Max et Katrina un peu plus loin. Il regardait sa compagne en souriant et elle levait vers lui un visage radieux. Puis Hendrik l'entraîna plus loin, et elle les perdit de vue. Troublée, elle fit un faux pas, au grand amusement de son cavalier.

— Vous avez déjà oublié !

— Ce doit être à cause du Schnaps, s'excusa Laurie.

— Ou parce que vous n'en avez pas assez bu ! Voulez-vous retourner au bar ?

— Pourquoi pas ?

Laurie n'avait aucune envie de boire, mais brusquement, elle ne voulait plus rester sur la piste. Cette fois, elle demanda un jus de fruits. Lorsqu'ils revinrent du bar, un groupe de musique pop avait remplacé l'orchestre. Hendrik fit de son mieux pour suivre ce rythme syncopé et inhabituel pour lui. Quant à Laurie, elle s'abandonna entièrement à la musique. A la fin, épuisée, souriante, elle leva les yeux vers lui.

— Nous ferions mieux de retourner auprès des autres, suggéra-t-il. Il va être l'heure du souper.

Tout le petit groupe était déjà là. Laurie se laissa tomber sur sa chaise avec un soupir de soulagement. Elle faisait de grands efforts pour paraître gaie et insouciante. Trop grands, peut-être... Max la dévisagea en fronçant légèrement les sourcils. Redressant la tête, elle soutint son regard. Un petit sourire remplaça l'expression perplexe de Max. Il lui adressa un bref salut moqueur.

Une serveuse approcha une table roulante chargée de mets appétissants. Mais avant de commencer à manger, *Herr* Nimsgern demanda le silence. Il déboucha une bouteille de champagne et prononça un petit discours en allemand. Tous avaient les yeux fixés sur Katrina, debout à côté de Max. Son oncle lui porta un toast en conclusion, et la jeune fille rit joyeusement. Max leva son verre et, lui prenant la main, il s'inclina pour y poser un léger baiser.

Laurie vida son verre et le reposa sur la table d'une main tremblante. Personne n'avait songé à lui traduire ce petit discours, mais à quoi bon ? C'était parfaitement clair ! Elle venait de boire aux fiançailles de Max avec une autre, à leur bonheur futur...

Le repas lui parut interminable. Elle ne parvenait pas à apprécier les plats. Tout avait le goût de cendres. Un sourire figé aux lèvres, elle répondait machinalement à ses voisins, sans même les écouter. Et elle buvait, tout aussi automatiquement, les vins qu'on lui proposait.

Enfin, Hendrik se leva et l'invita à retourner sur la piste. Il y avait beaucoup plus de danseurs à présent, et il était difficile de ne pas les heurter en pirouettant au rythme des valses de plus en plus endiablées.

— Sortons d'ici, voulez-vous ? lui proposa Hendrik au bout de quelques danses.

Il l'entraîna vers le petit bar. Là, il retrouva un groupe d'amis. Ceux-ci les invitèrent cordialement à se joindre à eux. Ils étaient amusants, gentils, et eurent à cœur de divertir la jeune Anglaise... Et de remplir généreusement son verre.

Lorsqu'ils ressortirent du bar, environ une heure plus tard, Laurie se sentait légèrement ivre. Le couloir était faiblement éclairé. Hendrik s'arrêta et l'enlaça brusquement.

— Vous êtes si belle, Laurie, murmura-t-il.

Ses lèvres cherchèrent celles de sa compagne. Il l'embrassa avidement. Laurie, stupéfaite, était incapable de réagir. Subitement, une voix glaciale retentit.

— Votre père vous cherche, Hendrik.

Nonchalamment, le jeune homme se retourna. Max, le visage impénétrable, se tenait juste à côté d'eux. Hendrik voulut prendre Laurie par la main, mais Max l'en empêcha.

— Je me charge de Laurie.

Il ajouta quelques mots en allemand. Hendrik tourna un regard stupéfait vers la jeune fille et s'éloigna sans un mot.

— Vous n'avez pas encore dansé avec moi, m'accorderez-vous cette valse ?

Sans attendre sa réponse, Max l'entraînait déjà sur la piste. L'orchestre jouait à présent un morceau lent et doux. L'Autrichien tenait fermement sa cavalière à une distance respectable.

— Vous semblez beaucoup vous amuser ?

— Oh oui, je passe une soirée merveilleuse !

— Et vous avez coutume de marivauder avec les hommes, chaque fois que vous vous amusez ?

— Je ne faisais rien de tel ! protesta Laurie. Et même si c'est le cas, cela ne vous concerne en rien !

— Aussi longtemps que vous serez mon hôte, je suis responsable de vos actes devant votre fiancé. Et à mon avis, il n'apprécierait guère votre conduite de ce soir !

Très pâle, Laurie se détourna. Elle avait déjà écrit à Richard pour rompre leurs fiançailles, mais à quoi bon en informer Max ? Tout était inutile à présent. Il allait épouser Katrina...

A la fin de la danse, ils revinrent à leur table. Tous s'apprêtaient à partir. *Herr* Nimsgern avait suggéré de terminer la soirée dans un café ouvert toute la nuit. Sa proposition fut accueillie avec des cris de joie. Mais Laurie se pencha vers Anna von Reistoven.

— Me permettrez-vous de vous fausser compagnie ? J'ai une migraine terrible... Trop de champagne, sans doute, ajouta-t-elle amèrement.

Frau von Reistoven la scruta d'un air soucieux.

— Mais bien entendu. Je vais vous raccompagner à l'hôtel et vous donner des cachets.

— Non, c'est inutile, je vous assure. J'ai seulement besoin de dormir. Je vous en prie, ne gâchez pas votre soirée pour moi.

— C'est bon... Mais je viendrai vous voir en rentrant.

Ils la déposèrent devant l'hôtel avec des paroles de regret et de sympathie...

Lorsque *Frau* von Reistoven entra dans sa chambre, quelques heures plus tard, Laurie, une mèche de cheveux en travers du visage, semblait profondément endormie. La mère de Max sortit sur la pointe des pieds, et Laurie, à nouveau seule, rouvrit de grands yeux fiévreux dans l'obscurité.

7

Fort heureusement, Max fut très occupé les jours suivants. Il passait sans doute ses soirées avec Katrina, et pendant quelques jours, Laurie le vit à peine. Sa mère ne parlait jamais de ses fiançailles. Laurie n'allait certainement pas aborder ce sujet la première !

La nuit, elle passait de longues heures d'insomnie, ne s'endormant pas avant l'aube. Elle avait pris une décision : sitôt de retour au château, elle vendrait le chalet à Max et rentrerait chez elle. Là, elle expliquerait de vive voix à Richard les raisons de sa rupture. Pauvre Richard ! Ce n'était pas sa faute si elle était tombée éperdument amoureuse d'un autre ! Se tournant et se retournant dans son lit, elle poussait de grands soupirs. Si seulement elle n'était pas venue à Vienne ! Mais elle avait voulu s'accorder ces quelques jours en compagnie de Max, pour pouvoir s'en souvenir plus tard...

Un soir, dans le hall de l'hôtel, elle consultait les livres offerts, cherchant un roman pour s'endormir, lorsqu'elle aperçut Max à travers la porte à tambour. Elle se détourna promptement. Mais il l'avait vue et se dirigea droit sur elle.

— Avez-vous dîné ? s'enquit-il.

— Oui, nous avons mangé tôt. Votre mère devait rendre visite à une amie invalide ce soir.

— Ah oui, je m'en souviens. Et vous, Laurie, qu'allez-vous faire ?

— J'ai plusieurs lettres à écrire.

La jeune fille était tendue et mal à l'aise. Pourquoi ne partait-il pas ?

— Ce n'est pas une perspective très réjouissante pour une jeune fille en voyage à Vienne. Aimeriez-vous sortir ? Aller à l'Opéra, peut-être ? Ou bien dans l'une de nos fameuses *Bierkeller* ? Vous n'y êtes encore jamais allée, n'est-ce pas ?

— Non...

Une semaine auparavant, Laurie aurait accepté de bon cœur. Mais à présent, elle avait l'impression d'être une enfant à laquelle un adulte cherche à faire plaisir.

— Je vous remercie ; vous n'avez pas besoin de me chercher des distractions, Max. Je puis fort bien passer une soirée seule.

Il lui prit le menton dans la main et lui releva doucement le visage. Laurie baissa les paupières, mais elle ne pouvait dissimuler les grands cernes mauves creusés sous ses yeux.

— Comment, je suis toujours en disgrâce ? Boudez-vous encore à cause de cette robe ?... Allons, petite fille, voulez-vous me pardonner et me permettre de vous escorter ce soir ?

— Je suis assez fatiguée. Et d'ailleurs, Katrina...

— Katrina ? Hendrik et elle passent la soirée chez des amis, ils ne pourront pas se joindre à nous. En aviez-vous envie ?

— N... Non, je...

— Qu'est-ce donc ? Avez-vous peur de ma compagnie ? Même si je vous promets de ne pas me mettre en colère contre vous ?

— Peur ? Certainement pas ! s'exclama Laurie avec un regain de défi.

— Dans ce cas, accordez-moi vingt minutes pour me changer.

Laurie, l'esprit traversé de sentiments contradictoires, le regarda s'éloigner.

La *Bierkeller* choisie par Max était située dans une petite rue pavée. Les fenêtres grandes ouvertes déversaient des flots de musique. Quelques marches descendaient vers la porte d'entrée. Un serveur jovial, au visage barré d'une épaisse moustache noire, les accueillit et les dirigea vers un banc devant une longue table de bois. De nombreux consommateurs y étaient déjà installés. Ils s'écartèrent en souriant pour leur faire place et les saluèrent. Le serveur revint bientôt avec du vin blanc pour Laurie et une grande chope de terre cuite débordante de bière mousseuse pour Max. Dans un coin, deux violonistes, un guitariste et un accordéoniste jouaient des airs gais et entraînants.

— C'est la musique traditionnelle des *Keller,* expliqua Max.

Laurie aimait cette atmosphère chaleureuse et enveloppante. Leurs voisins de table avaient entamé une conversation avec Max. Un jeune homme assis à la gauche de Laurie se tourna vers elle et lui dit quelques mots en souriant amicalement. Elle secoua la tête d'un air désolé.

— *Nicht's versteh'n.*

Max se pencha et expliqua au jeune homme qui elle était.

— Anglaise ? *God save the queen !*

Sa connaissance de l'anglais se bornait apparemment à cette phrase. Mais son sourire réjoui fit rire Laurie de bon cœur et elle lui répondit d'un hochement de tête.

Après cela, elle se sentit parfaitement détendue. Lorsque l'orchestre attaqua une chanson populaire, elle passa ses bras sous ceux de ses voisins et se balança joyeusement en fredonnant l'air. Peu à peu, l'ambiance la grisa, elle se sentit assez somnolente. Sa tête oscillait doucement et elle se redressait en sursaut. Max s'en aperçut ; il lui prit le coude.

— Il est temps de rentrer, Laurie, vous dormez debout !

— Oh ! Déjà ? protesta-t-elle en étouffant un bâillement.

Tout le monde leur serra la main et témoigna du plus grand regret de les voir partir si vite.

— Vous connaissez tant de monde ! soupira Laurie en sortant. Sont-ils tous vos amis ?

— Je ne les avais jamais vus avant, répliqua Max en riant. En Autriche, nous parlons à tous ceux que nous rencontrons. Allons, hâtons-nous, Laurie, vous devez vous lever de bonne heure demain matin.

Elle mit quelques secondes à réagir.

— Demain matin ? Pourquoi ?

— Avez-vous oublié ? Je vous ai promis de vous emmener visiter les vignobles.

Laurie fit quelques pas en silence.

— Max, je vous suis très reconnaissante d'avoir passé cette soirée avec moi, je me suis beaucoup amusée. mais demain, votre mère sera là, il est inutile de vous déranger pour moi.

— N'aviez-vous pas grande envie de voir les vignes ?

— Eh bien oui, mais... Vous aurez du travail là-bas et vous vous sentirez sûrement plus à l'aise si vous n'avez pas à vous occuper de moi et à me traîner partout.

— Vous n'êtes pas un poids que l'on doit traîner, Laurie. Cela n'a jamais été le cas. Vous voulez donc éviter ma compagnie.

Laurie voulut protester, mais les sons ne franchissaient pas ses lèvres.

— Ma pauvre petite ! Suis-je donc un compagnon si insupportable ?

— N... Non, non, bien sûr !...

Les yeux de Max étaient empreints d'une grande douceur. Un demi-sourire un peu triste flottait sur ses lèvres. Oh ! mon Dieu ! songea Laurie, c'est affreux lorsqu'il est en colère, mais c'est encore pire lorsqu'il est gentil !

— Vous me feriez énormément plaisir en acceptant de m'accompagner, murmura-t-il.

Etait-ce le vin ? Etait-ce la fatigue ? Laurie céda.

— C'est bon, Max. J'irai avec vous.

De bon matin, un taxi les emmena jusqu'aux berges du Danube. Là, ils embarquèrent sur un bateau, au grand plaisir de Laurie. Ils avançaient lentement, et elle put admirer à loisir les paysages de rêve qui défilaient sous leurs yeux. Ils arrivèrent à destination en fin de matinée et visitèrent les caves des von Reistoven. Le contremaître les invita ensuite à déjeuner chez lui.

Après le repas, on leur fit seller deux chevaux et ils partirent vers les vignobles. De temps à autre, Max mettait pied à terre et se penchait pour examiner un cep. Au loin, les collines boisées se profilaient. Laurie soupira.

— Je vous envie votre pays, Max. Je suis heureuse de l'avoir vu.

— Vous en parlez comme si vous deviez bientôt le quitter ?

Il était temps de parler.

— En effet, mon voyage touche à sa fin.

Max resta silencieux un moment. Puis il prit un petit paquet attaché à sa selle.

— Si nous goûtions ? proposa-t-il. *Frau* Huber nous a gâtés. Elle a dû remarquer votre solide appétit !

— Le mien ? s'écria Laurie scandalisée. Vous avez mangé comme quatre à midi !

— Alors hâtez-vous, sinon vous n'aurez pas une seule de ces délicieuses pâtisseries !

Laurie s'assit en face de lui et mordit dans un gâteau léger et crémeux.

— Qu'avez-vous voulu dire ? demanda alors Max à brûle-pourpoint. Avez-vous pris une décision pour le chalet Alpenrose ?

Oui, il était temps de parler. Mais à la dernière minute, quelque chose la retint. Elle ne supporterait pas de voir une lueur de triomphe s'allumer dans les yeux de Max.

— Oh ! Je n'ai pas déclaré forfait ! lança-t-elle avec un rire forcé. Mais je suis en Autriche depuis bientôt un mois, je dois songer à rentrer. *Herr* Kreuz pourra certainement s'occuper de tout, je lui fais confiance. En fait, ajouta-t-elle, il m'a envoyé une lettre. Un acheteur éventuel s'est présenté. Peut-être Richard et moi reviendrons-nous, lorsque tout sera prêt, pour signer les papiers. Ce pourrait être notre lune de miel !

Le cœur battant, elle vit Max se détourner et faire quelques pas. Elle avait eu raison de mentir ! Il ne devait surtout pas deviner ses véritables sentiments...

Le retour à Vienne fut assez triste. Max, laconique, répondait à peine à ses questions. Et Laurie, le cœur brisé, regardait distraitement le paysage.

La fin de leur séjour à Vienne fut employée à visiter d'autres monuments. Puis, un beau matin, il fallut faire les valises. Debout devant ses innombrables achats, Laurie se demandait si elle n'allait pas devoir se procurer une nouvelle valise, quand on frappa à sa porte. Elle alla ouvrir.

— Oh bonjour, Katrina ! Entrez !

— Merci. Anna est-elle ici ?

— Non, je suis désolée, elle est sortie. Puis-je lui laisser un message ? Ou voulez-vous l'attendre ?

— *Nein,* je ne peux pas attendre. *Mein Verlobter* m'attend dans la voiture.

Laurie se crispa.

— Max vous attend ?

Katrina eut l'air surprise.

— Max ? *Nein, mein Verlobter,* fiancé... Alvin Kleidermann. Mais vous ne l'avez pas rencontré... Nous allons nous marier et vivre au Paraguay.

— Au Paraguay !

Brusquement, le Paraguay devenait le plus beau pays du monde aux yeux de Laurie. Elle serra vigoureusement la jeune Autrichienne interloquée dans ses bras.

— Oh, Katrina ! Je n'avais rien compris ! Vous avez dû me trouver bien désagréable, j'étais si... Non, je ne puis rien vous dire, mais je suis très très heureuse. Me pardonnerez-vous mon attitude ?

La blonde jeune fille secoua la tête. Elle ne comprenait toujours rien. Laurie éclata de rire.

— J'espère que vous serez très heureuse, vous et *Herr* Kleidermann. Au Paraguay.

— *Ja, ja,* sourit Katrina. J'écrirai à Anna.

Après son départ, Laurie se laissa tomber dans un fauteuil. Tant de jours et de nuits de souffrances sans fin ! Des larmes de soulagement roulèrent sur ses joues. Max était libre ! Et elle avait failli repartir sans le savoir !

Lorsque *Frau* von Reistoven rentra une heure plus tard, elle trouva Laurie toujours dans le fauteuil... Dormant à poings fermés.

8

Le trajet du retour fut très joyeux. Max avait levé les bras au ciel, horrifié, en voyant la pile de bagages destinée à entrer dans sa voiture. Finalement, le coffre étant insuffisant, il chargea aussi le siège arrière et ils s'installèrent tous trois devant, Laurie au milieu, ravie de cette organisation. Son gai babillage égaya ses compagnons de route.

— Vous paraissez très contente de quitter Vienne, Laurie? remarqua Anna von Reistoven.

— Oh j'ai adoré cette ville! J'ai trouvé notre séjour extraordinaire, et je ne regrette pas le moins du monde d'y être allée. Mais finalement, je me sens plus chez moi au milieu des collines et des bois que dans les rues de la ville.

Heidi l'attendait avec un large sourire et elle l'aida à défaire ses bagages. Elle poussait des exclamations émerveillées à chaque nouvel achat déballé. Laurie sortit un petit paquet et le lui tendit.

— C'est pour vous!

La jeune servante protesta mais elle ouvrit tout de même son présent. Un sourire illumina son visage quand elle découvrit un joli bracelet. Elle remercia longuement Laurie en allemand. Celle-ci l'arrêta en riant.

— Pouvez-vous finir de ranger pour moi ? Je vais aller nager un peu dans la piscine. La première fois depuis quinze jours !

Elle enfila rapidement son maillot, courut à la piscine et plongea.

— Hé ! Essayez-vous de me noyer ?

Laurie se retourna et se retrouva nez à nez avec Max.

— Mon Dieu ! Je suis désolée, je ne vous avais pas vu ! s'exclama-t-elle.

— Vous n'avez pas pris le temps de regarder, voulez-vous dire !

En un clin d'œil, il la saisit par la taille et l'enfonça sous l'eau.

— Oh ! Quelle brute ! suffoqua Laurie.

Elle se précipita sur lui, mais Max était déjà à l'autre bout du bassin. Pendant une demi-heure, elle le pourchassa tout autour de la piscine. Il évitait toujours ses mains à la dernière minute, plongeait sous elle et resurgissait dans son dos pour l'enfoncer encore et s'éloigner vivement. Enfin, elle le rattrapa. Usant de tout son poids, elle lui appuya sur les épaules et parvint à lui mettre la tête sous l'eau. Max l'enlaça et la souleva, puis il refit surface. Elle tourna vers lui un visage rieur et ruisselant. Il resserra son étreinte. Le sourire de Laurie s'effaça. Ses yeux s'agrandirent, éclairés d'un rayon intense et lumineux. Elle crut une seconde qu'il allait l'embrasser. Mais il la lâcha brutalement et s'éloigna à la brasse. Arrivé au bord, il se hissa dehors et offrit sa main pour l'aider à sortir. Il avait retrouvé tout son calme et lui proposa nonchalamment une cigarette.

— Avez-vous toujours l'intention de repartir bientôt ?

— Votre mère m'a parlé d'une fête au village, dimanche prochain. J'aimerais bien y assister, si je ne vous dérange pas.

— Mais bien entendu. Ma mère vous a invitée à rester aussi longtemps que vous le souhaitez, j'en suis sûr. Elle apprécie beaucoup votre compagnie.

— Et vous ? ne put s'empêcher de demander Laurie.

Max sourit.

— C'est une question délicate ! Voyons... Comment vais-je y répondre ? Votre arrivée à Ausbach m'a ennuyé... Pour ne pas dire plus ! A cause de vous, j'ai perdu mon calme plus d'une fois, et je me suis même montré discourtois envers mon hôte...

Laurie rougit en se rappelant la fessée qu'il lui avait infligée quelques jours auparavant...

— ... Mais comme vous le disiez en parlant de Vienne... Apprendre à vous connaître a été une expérience inoubliable. Je n'aurais manqué cela pour rien au monde !

Allons bon ! Comment devait-elle prendre cette réflexion ? Quel diable d'homme ! Une lueur menaçante fit flamboyer ses yeux. Mais Max s'en aperçut et se leva.

— Non, Laurie, je n'ai pas l'intention de discuter avec vous. Vous risqueriez de me mettre en colère. Venez, il est temps de se préparer pour le dîner.

Frau von Reistoven fut très occupée tout le reste de la semaine. Elle aidait à préparer la fête du village. Max, quant à lui, devait rattraper tout son travail en retard. Laurie et Rudi restèrent donc seuls la plupart du temps. Laurie avait emprunté une voiture et elle se promena dans les villages des alentours, s'arrêtant souvent pour contempler des sites extraordinaires. Deux fois, elle opta pour le cheval. Inévitablement, ses pas la guidèrent vers le chalet. Assise dans l'herbe, elle regardait alternativement sa maisonnette et le château de contes de fées posé sur la colline.

La cheminée avait été parfaitement réparée, mais le

toit était resté dans le même état. Elle devrait dire un jour ou l'autre à Max qu'il avait gagné... Mais elle ne s'y résolvait pas. Le chalet était son unique raison de rester en Autriche. Et elle désirait y demeurer le plus longtemps possible. Oh, cela ne mènerait à rien, elle en était convaincue ! Mais au moins, Max ne la traitait plus comme une enfant, depuis leur retour de la capitale.

Lorsque Laurie ouvrit les volets de sa chambre, le dimanche matin, le soleil rayonnait dans un ciel sans nuages. Heidi entra avec le plateau du petit déjeuner, le visage rose d'excitation. Tous les domestiques avaient un jour de congé pour assister à la fête. Nombre d'entre eux y participaient même. Pour cette raison, le petit déjeuner n'était pas servi sur la terrasse. Max et sa mère devaient partir pour le village de très bonne heure. Laurie et Rudi les rejoindraient plus tard. Lorsque Laurie sortit de la salle de bains, Heidi était revenue avec un grand paquet.

— De la part de *Herr* von Reistoven, annonça-t-elle.
— De Max ?

Etonnée, Laurie ôta la ficelle et souleva plusieurs couches de papier de soie avant de découvrir une ravissante robe tyrolienne. La jupe rose était entièrement brodée. Un corsage de dentelle blanche et un petit tablier blanc complétaient l'ensemble. Elle trouva ensuite une coiffe toute fleurie et garnie de rubans. Même les souliers noirs à boucles n'avaient pas été oubliés. Les doigts tremblants, Laurie décacheta l'enveloppe posée sur les vêtements. « Faites-nous plaisir, portez notre costume national. Et n'oubliez pas : vous serez toujours la bienvenue en Autriche. Max. »

Le cœur léger, le visage rayonnant, Laurie s'habilla, puis alla se contempler dans le miroir. En un clin d'œil la jeune Londonienne moderne avait disparu. Laurie ressemblait à présent à n'importe quelle jeune villageoise autrichienne... N'importe quelle jeune fille rougissante et émue à l'idée d'aller retrouver celui qu'elle aimait.

Heidi avait elle aussi enfilé son *dirndl*. Les deux jeunes filles descendirent ensemble dans la cour. Les domestiques avaient sorti une vieille carriole. Pendant des heures, ils l'avaient décorée de fleurs et de fougères. Laurie prit place sur un petit banc. Rudi était déjà là, Prinz dans les bras. Le garçonnet surexcité ne tenait pas en place. Il essayait de convaincre Franz, le domestique chargé de veiller sur lui, de le laisser s'asseoir à côté du conducteur.

Deux grands chevaux de trait au pelage luisant, aux harnais décorés, furent attelés. Dans un joyeux concert de clochettes, ils arrivèrent au village.

La carriole avançait lentement dans les rues. Tout le monde se saluait. La plupart des hommes portaient le costume traditionnel : chemises blanches, gilets brodés, culottes de peau et chapeaux fleuris. Et Max lui-même !... Il fendit la foule et, saisissant Laurie par la taille, la déposa à terre sans attendre. Elle poussa une exclamation stupéfaite, non pas à cause de sa précipitation, mais en le voyant transformé par son costume. Ses vêtements lui allaient à la perfection. Le tissu léger de sa chemise soulignait ses épaules larges, et la culotte courte mettait en valeur ses jambes hâlées et musclées.

Mais Max aussi admirait sa compagne.

— Vous êtes charmante, déclara-t-il. Cette robe vous va à ravir.

— Vous ne manquez pas de charme non plus, riposta-t-elle, rose de plaisir.

— Merci ; je conserverai précieusement le souvenir de votre premier compliment ! la taquina-t-il. Venez, je vous ai réservé une place d'où vous verrez bien la parade.

Frau von Reistoven était déjà installée à une tribune en compagnie des notables de la ville. Laurie devait s'asseoir un peu plus loin, en compagnie de Rudi et du domestique.

— Rudi et Franz s'occuperont de vous. Ils vous expliqueront le déroulement de la parade.

Laurie saisit Max par la manche au moment où il allait partir.

— Et vous ? Ne venez-vous pas avec nous ?

— Je suis navré mais je m'occupe de l'organisation de la procession, à l'entrée du village... Pourquoi ? Vous n'aimez pas Franz ?

— Eh bien, si, bien sûr... Mais j'aimerais mieux être avec vous.

Laurie avait levé vers lui de grands yeux suppliants. Pour la première fois, elle laissait transparaître sur son visage ses sentiments pour Max.

Il prit une profonde aspiration et la poussa vers son siège.

— Allez vous asseoir bien sagement avec Rudi et Franz. J'ai beaucoup à faire, lança-t-il sèchement.

Et il s'en fut...

Franz parlait assez bien l'anglais. Il commenta obligeamment le programme de la fête. Mais Laurie était trop troublée par le départ précipité de Max pour l'écouter. S'était-elle trahie ?

Bientôt, la tête de la procession fit son apparition. Un orchestre jouant des instruments alpins traditionnels s'avançait au pas, suivi d'hommes portant des masques de vieillards, et de très beaux jeunes gens. Ils dansaient en marchant, à la grande joie des enfants alignés sur les trottoirs qui agitaient drapeaux et moulins à vent.

Des carrioles et des chars fleuris arrivèrent ensuite sur la place, précédant une nouvelle fanfare, et les participants des divers concours prévus : chanteurs tyroliens, souffleurs de corne, athlètes, coupeurs de bois... La liste énumérée par Franz était interminable.

La chaleur devenait plus intense. Rudi trépignait d'impatience : il avait hâte d'essayer tous les jeux de la fête. Aussi, dès le passage de la dernière carriole, ils allèrent dans le champ du bout du village où on avait installé la kermesse. Oubliant ses soucis, Laurie se laissa persuader de jouer à tous les stands. Ils arrivèrent devant une broche sur laquelle un énorme cuissot de viande rôtissait avec des grésillements appétissants. Rudi, le visage tout poisseux, insista pour y goûter.

— Mais tu as déjà mangé des tonnes de saucisses ! protesta Laurie.

En vain ! Tous trois s'assirent sous un arbre pour déguster leur viande rôtie. Ce n'était guère un mets approprié à la chaleur, au goût de Laurie. Mais Rudi se régala et, sitôt la dernière bouchée avalée, il harcela la jeune fille pour avoir une crêpe brûlante remplie de crème.

Les danses folkloriques avaient commencé, et ils s'approchèrent pour admirer le spectacle coloré. Entre deux démonstrations, les spectateurs se joignaient à la troupe. Les hommes saisissaient leurs partenaires par la taille et les envoyaient voltiger dans les airs. Les jeunes filles poussaient des cris de joie mêlée de terreur. Laurie refusa en riant l'invitation de Franz. Mais tout à coup, elle se sentit poussée en avant.

— Auriez-vous trop mangé ? murmura une voix moqueuse à son oreille.

L'instant d'après, elle se sentit soulevée de terre avec un force incroyable. Puis Max l'entraîna dans un tourbillon endiablé. Il la guidait avec fermeté, et elle n'eut aucun mal à suivre ces pas inconnus d'elle. Haletante, les joues en feu, elle bondissait et tournait en rythme. Lorsque la musique s'arrêta, il la maintint en l'air un moment pour la taquiner puis la reposa légèrement à terre.

— Ouf ! J'ai bien ri ! s'exclama-t-elle, le souffle court. Mais j'ai soif !

— Venez, je vous offre à boire.

De ses larges épaules, il fendait la foule sans effort. Ils atteignirent bientôt un stand de rafraîchissements.

— Quelle chaleur ! soupira Laurie. Cette petite brise est bien agréable.

Max leva les yeux vers le ciel en fronçant les sourcils.

— Hum !... Je ne sais pas si nous devons nous en réjouir ! Cela m'a tout l'air d'être le *Föhn* !

— Le *Föhn* ? Qu'est-ce ?

— C'est un vent du sud qui souffle dans les Alpes. Avez-vous déjà entendu parler du mistral ou du sirocco ?

— Eh bien, oui... Ils déclenchent parfois des catastrophes importantes, n'est-ce pas ?

— En effet. Et le *Föhn* est souvent très violent... Mais n'y pensons pas pour l'instant. Si vous avez terminé de boire, je vais vous ramener aux tribunes. Ma mère est chargée de décerner les prix, vous pourrez l'admirer dans son rôle de juge.

En chemin, ils rencontrèrent Rudi. Celui-ci rôdait autour d'un stand où les jeunes gens venaient démontrer leur force. Il s'agissait de donner un coup de marteau, le plus fort possible, pour faire retentir la cloche placée au sommet d'un piquet. Le vainqueur emportait une énorme boîte de chocolats.

— Oh, s'il te plaît ! Fais sonner la cloche ! supplia le petit gourmand.

En riant, Max s'empara du marteau et frappa de toutes ses forces. La cloche résonna comme jamais. Le pauvre Prinz, terrifié, détala en courant avec des jappements stridents.

Laurie et Max éclatèrent de rire. Mais Rudi, saisissant la boîte de chocolats, se lança à la poursuite de son chiot.

… Une heure plus tard environ, Franz s'approcha de Laurie à la tribune.

— Avez-vous vu Rudi? *Fräulein,* je ne le trouve nulle part.

— Ne vous inquiétez pas, Franz. Il a tant mangé qu'il a dû s'endormir quelque part.

— Je l'espère. Cet enfant se met toujours dans des situations impossibles.

Il s'éloigna, et Laurie continua de se promener seule. La brise soufflait plus fort à présent, les fanions flottaient gaiement. Mais la chaleur était toujours aussi étouffante. La jeune fille décida de rentrer au château se reposer quelques heures avant le grand bal du soir.

En chemin, elle croisa Franz, l'air de plus en plus soucieux.

— Eh bien, Franz, vous ne l'avez toujours pas retrouvé?

— Non, *Fräulein,* je suis vraiment inquiet. Je vais remonter vers le château, il est peut-être sur la route.

— N'en faites rien. Je vais y aller moi-même. Je téléphonerai à l'hôtel Erlenbach dès mon arrivée. Si vous le retrouvez entre-temps, laissez-moi un message à la réception. Et surtout, ne vous inquiétez pas, il ne lui est sûrement rien arrivé de grave.

Elle s'éloigna avec un petit geste réconfortant. Tout le long de la route, elle appela l'enfant, mais ne reçut aucune réponse. Le château était désert. A l'hôtel, où elle téléphona aussitôt, on était sans nouvelles du garçonnet. Laurie décida de monter à la tour. De là, elle verrait très loin.

Longuement, elle inspecta à la jumelle les bois environnants. Le vent, devenu violent, agitait les branches et faisait bruire les feuilles. Puis la brise tourna et elle entendit un faible son… C'était Prinz! Le bruit provenait d'un sous-bois touffu, à environ un kilomètre. Ces chenapans avaient dû rester coincés une fois de plus ! Elle allait quitter la fenêtre lorsque quelque chose la figea sur place, glacée de terreur. Un nuage de fumée menaçant s'élevait à l'horizon... Un incendie de forêt ! Et il s'avançait dans la direction où elle avait entendu Prinz aboyer ! Le vent poussait les flammes vers Rudi... Il n'y avait pas une minute à perdre !

9

Hagarde, Laurie dévala les marches de la tour quatre à quatre. Dans sa course, elle trébucha mais se remit d'aplomb et continua à descendre sans même s'arrêter. Elle traversa le rez-de-chaussée précipitamment et courut aux écuries. Pas le temps de téléphoner à l'hôtel, pas le temps de prévenir le gardien du château... Chaque seconde était précieuse.

Une jument baie hennit joyeusement en la voyant arriver. Il serait trop long de la seller. Laurie sauta sur son dos nu, remontant les jupes mal commodes de sa robe tyrolienne au-dessus de ses genoux. Elle piqua sa monture des talons et franchit le portail, le laissant grand ouvert derrière elle. De la voix et des jambes, elle encourageait la jument à galoper toujours plus vite à travers champs vers l'orée du bois. Le feu gagnait du terrain à chaque minute. Il se rapprochait de l'endroit où le petit Rudi devait être coincé...

Sans même chercher un chemin, Laurie s'enfonça entre les arbres touffus. Elle gardait la tête baissée sur l'encolure de sa monture. Une seule branche suffirait à la jeter à terre. Les brindilles craquaient sèchement sous les sabots de la jument. Il n'avait pas plu depuis le grand orage, cela faisait déjà plusieurs semaines... Le sous-bois était sec comme de l'amadou. L'incendie ne s'arrêterait pas avant d'avoir consumé toute la forêt.

Les cris effrayés de Prinz étaient beaucoup plus proches à présent. Laurie cria le nom de Rudi. Il lui répondit aussitôt. Il devait être à quelques mètres sur sa gauche. Elle le rejoignit et sauta à terre. L'enfant, à genoux, essayait vainement de libérer Prinz, prisonnier d'un terrier de lapin. Il creusait la terre à l'aide d'un bâton, mais le chiot, terrifié, se débattait comme un beau diable et s'enfonçait de plus en plus.

En un clin d'œil, Laurie jaugea la situation. Il faudrait un certain temps pour dégager Prinz. Mais grâce à dieu, le vent avait dû tourner à nouveau, le feu n'était pas encore arrivé dans le voisinage.

Elle s'accroupit en murmurant des paroles rassurantes. Rudi s'était lancé dans un flot d'explications, mais elle ne l'écoutait guère. Glissant une main dans le terrier, elle crut défaillir : les pattes arrière de Prinz étaient retenues prisonnières par une racine... Et une odeur de fumée emplissait l'air. Il fallait éloigner Rudi au plus vite. Mais comment le convaincre d'abandonner son chien ?

— Rudi, sais-tu monter à cheval ?

Le garçonnet hocha la tête.

— ... Bien ! Retourne au château, et téléphone à Max, à l'hôtel Erlenbach. Tu comprends ? Demande de l'aide. *Verstehen ?*

— *Ja.* Mais... Prinz ?

Un daim apeuré jaillit des fourrés et passa en bondissant à un mètre d'eux. Rudi se retourna et huma l'air. Une expression horrifiée se peignit sur son petit visage.

— Le feu ! Prinz va brûler !

Il s'accrochait désespérément à la jupe de Laurie.

— Non. Je vais le sauver. Retourne au château.

Laurie le souleva de terre et le posa sur la jument. Puis elle donna une tape à l'animal.

Elle aurait tout juste le temps de sauver le chiot et de courir jusqu'aux champs. Mais il n'y avait pas une minute à perdre... Arrachant les boucles de ses chaussures, elle entreprit d'élargir le trou. De petits animaux passaient près d'elle en courant : lapins, marmottes, hérissons...

Plus elle creusait, plus la terre était dure. Ses mains écorchées saignaient et la sueur ruisselait sur son front. Prinz, sentant le danger, était devenu tout à fait calme. Il geignait faiblement et lui léchait les mains.

— Oui, je sais, tu veux sortir de là... Je fais de mon mieux, Prinz, n'aie pas peur...

Enfin, elle parvint à l'empoigner et, en tirant de toutes ses forces, elle le sortit.

— Ouf ! Il était temps !

Le prenant dans ses bras, elle se mit à courir. En dépit du sol inégal, elle avançait assez vite. L'incendie était loin derrière elle. Finalement, elle avait eu tort de demander de l'aide. Max et sa mère allaient s'inquiéter inutilement... Baissant la tête, elle évita de justesse une branche basse. Mais au même moment, un petit troupeau de daims surgit juste à côté d'elle. Un animal la heurta de plein fouet. Déséquilibrée, Laurie tenta vainement de se rattraper. Son talon se prit dans une racine et elle roula à terre sur une petite pente. Des ronces déchirèrent sa jupe et sa coiffe. Quelques mètres plus bas, sa tête percuta une grosse pierre. Laurie perdit connaissance.

Quelque chose de chaud et d'humide lui balayait les joues et le front. Pourquoi lui lavait-on le visage pendant son sommeil ? Elle essaya de se détourner, mais son geste lui arracha un cri de douleur. Lentement, elle porta une main à son crâne et y découvrit une énorme bosse.

— Oh ! Ma tête !

Tout étourdie, elle se redressa lentement. Prinz se mit à aboyer joyeusement.

— Ah c'était toi ? Hé ! Du calme ! Tu es un bon chien, mais je suis réveillée à présent, lâche-moi !

Elle le repoussa et se leva péniblement. Puis elle se mit à tousser... Une fumée épaisse l'entourait... L'incendie ! Derrière elle, des branches crépitaient. Brusquement, à quelques mètres, un pin gigantesque s'embrasa.

Prise de panique, Laurie saisit Prinz et, tournant les talons, se mit à courir. Les épines de pin blessaient ses pieds nus, elle ne cessait de se cogner contre des troncs d'arbres, les yeux brouillés de larmes à cause de la fumée. Prinz gigotait et se débattait dans ses bras. Epuisée, haletante, Laurie s'adossa à un tronc et le posa à terre.

— Allez ! A la maison, Prinz, à la maison !

Mais le petit chien continuait à aboyer et à sauter autour d'elle.

— Non, Prinz, je ne peux plus te porter, je suis trop fatiguée. Pars ! Va chercher Rudi !

Une silhouette massive se profila dans la fumée. Laurie poussa un hurlement de terreur. Un ours ? La forme s'approchait. Prinz grondait. Laurie sentit ses forces l'abandonner ; elle s'affaissa sur le sol.

Puis, tout à coup, elle se sentit soulevée par des bras puissants. Levant les yeux, elle découvrit le visage anxieux de Max.

— Laurie ? Etes-vous blesssée ? Oh, *meine Liebling, meine Geliebte !* J'ai eu si peur de ne pas vous retrouver !

Laurie voulut répondre, mais une toux violente l'en empêcha. Max la posa sur la selle de son grand étalon frémissant d'inquiétude. Il allait sauter en selle lorsque Laurie tendit la main.

— Le chien, Max ! Ne l'abandonnez pas, je vous en prie !

D'un geste vif, il empoigna le chiot et le lui mit dans les bras. Puis il monta derrière elle. Ses bras formaient un rempart à l'abri duquel elle se sentait hors de danger. Tenant fermement les rênes de sa monture, il se dirigeait vers une hauteur. Bientôt, ils arrivèrent en vue d'une tranchée pare-feu... Trop tard ! Le vent fou venait de leur couper la route.

— *Verdammt !* jura-t-il.

Il lança son cheval dans la direction opposée.

— Max ! L'incendie est pire par ici !

— Faites-moi confiance, petite fille.

Et elle n'eut plus peur de rien. Elle avait une foi absolue en lui. S'il voulait aller par là, elle était d'accord. Au bout de quelques minutes, il sauta à terre et, déchirant sa chemise, l'attacha sur les yeux du cheval. Les flammes très proches risquaient de le faire paniquer. Puis il remonta en selle et éperonna le malheureux animal. L'incendie flamboyait tout près d'eux. Laurie avait l'impression de galoper dans un tunnel enflammé. La chaleur était suffocante ; on y voyait à peine. Soudain, elle poussa un cri d'avertissement. Un tronc embrasé venait de tomber juste devant eux, leur barrant la route.

Sans hésiter, Max rassembla les rênes et, encourageant sa monture, la fit sauter par-dessus l'obstacle. Ils ne ralentirent pas leur course une seconde. Où allaient-ils ? Max voulait-il franchir la ligne de feu ? Il poussa une exclamation triomphante. Laissant les flammes derrière eux, ils venaient de plonger dans un lac de montagne.

L'eau était glacée et profonde. Le cheval se mit à nager vers une petite île proche. D'autres animaux y avaient cherché refuge. Lorsqu'ils accostèrent, des lapins et des écureuils s'enfuirent en tous sens.

Max sauta à terre et prit Laurie dans ses bras. Puis il attacha le cheval à un arbre. La jeune fille, muette, contemplait l'horrible incendie auquel ils venaient d'échapper. Avec un craquement sinistre, un arbre en flammes vint s'écraser sur la rive, à l'endroit même qu'ils venaient de quitter. Il s'en était fallu de quelques minutes !...

Se couvrant le visage des mains, elle se mit à trembler de tous ses membres.

— Laurie, ma toute petite, ne pleurez pas. Vous êtes en sécurité à présent. En sécurité avec moi.

Max l'avait prise dans ses bras. Laurie pressa son visage contre sa poitrine.

— Oh Max, Max ! J'ai eu si peur !

Elle se serrait contre lui de toutes ses forces, puisant du réconfort dans sa présence chaleureuse... Elle le regarda et l'amour remplaça la frayeur dans ses yeux. Lentement, elle leva les mains pour lui caresser le visage. Il poussa un gémissement sourd et ses lèvres s'emparèrent de celles de la jeune fille, passionnées, brûlantes. Eperdue de bonheur, elle lui rendit son baiser, le corps alangui d'un désir inconnu, irrépressible. La bouche de Max se faisait plus pressante, plus exigeante. Il suivait la courbe de son menton, le creux de ses joues, son cou, ses yeux...

— Max, oh Max !

Elle était éperdue, grisée. Plus rien n'existait, plus rien ne comptait hormis sa passion pour lui. Mais Max s'écarta brusquement. Laurie ouvrit les yeux et l'interrogea d'un regard douloureux.

— Je suis désolé, déclara-t-il sèchement. Je n'aurais pas dû...

— Mais... Mais pourquoi ?

Elle le regardait sans comprendre.

— Vous me demandez pourquoi ? gronda-t-il d'une voix sauvage. Parce que je n'ai pas le droit de vous embrasser... De vous toucher, même ! Vous êtes promise à un autre, voilà pourquoi !

— Max, je...

Mais il ne l'écoutait pas.

— En vous embrassant, j'ai plus mal agi encore qu'Hendrik... Lui au moins, ignorait tout de vos fiançailles. Mais moi, je suis au courant.

Une lueur de désespoir obscurcissait ses yeux si bleus.

— Max, allez-vous m'écouter, oui ou n...

Cette fois encore, elle n'eut pas le temps de terminer sa phrase. Il l'avait reprise dans ses bras.

— Oh Dieu ! C'est inutile ! Je ne puis cacher mes sentiments plus longtemps ! Laurie, *meine Liebchen,* vous ne pouvez pas l'épouser, je vous en empêcherai. Il ne vous mérite pas !

Avec une ardeur douloureuse, il l'embrassa à nouveau. Laurie se débattit et le repoussa. Ses yeux noisette étaient rendus plus brillants encore par les larmes.

— Laissez-moi donc parler ! s'exclama-t-elle vivement. Max, je ne vais pas épouser Richard. Je lui ai écrit pour le lui annoncer lorsque nous étions à Vienne.

Il la dévisagea d'un air incrédule.

— Mais... A Vienne, vous m'avez dit...

— Je m'en souviens parfaitement, coupa-t-elle. Mais c'était uniquement une... une défense.

— Pourquoi, Laurie ? Pourquoi ?

Elle baissa les yeux.

— Eh bien, je... Je croyais que vous étiez fiancé à Katrina, et je ne voulais pas vous laisser deviner... combien je vous aimais, acheva-t-elle en osant enfin affronter son regard.

Lentement, il prit le visage de Laurie dans ses mains.

Il la contemplait comme un aveugle qui recouvre la vue, comme s'il voulait graver à jamais ses traits dans sa mémoire.

— Mon amour adoré, murmura-t-il.

Ses lèvres effleuraient sa gorge, sa joue, le lobe de son oreille, ses yeux, sans jamais se poser. Il ne cessait de lui chuchoter des mots tendres.

— Mon petit amour, ma chérie. Oh, Laurie ! *Ich liebe dich !* Je vous aime tant, mon ange ! Me pardonnerez-vous un jour ? Je vous ai malmenée, je vous ai rendue malheureuse... Oh, Laurie ! Je suis tombé amoureux de vous dès le premier jour et j'ai lutté, lutté ! Comme vous avez dû me haïr !

La jeune fille sourit d'un air espiègle.

— Au début, oui. Mais...

— Mais maintenant ?

— Je n'aimerai jamais personne d'autre que vous, dit-elle simplement.

Elle fut récompensée par un nouveau baiser, tendre et avide tout à la fois, enivrant de douceur et de force.

— Laurie *Liebchen,* j'ai tant résisté pour ne pas vous aimer ! C'était un enfer. Je vous désirais de toutes mes forces, mais je croyais que vous ne seriez jamais à moi. Et je ne pouvais pas me détacher de vous. Je devais vous voir ! J'ai même été content lorsque vous vous êtes foulé le poignet ! Ainsi, vous seriez près de moi, je pourrais vous contempler tous les jours, même si vous voir était une torture exquise !

Il l'enlaçait et la serrait contre lui, comme pour rattraper toutes ces semaines de souffrance.

— Mais pourquoi ne m'avez-vous pas annoncé votre rupture ? reprit-il.

— Je le voulais, mais... Je ne savais pas si cela vous intéresserait.

— Oh si ! cela m'intéressait ! Vous ne saurez jamais à quel point cela m'intéressait !

— Dans ce cas, pourquoi ne me le montrez-vous pas ?

Tendrement, elle lui caressait les épaules du bout des doigts. Max l'étreignit en poussant une exclamation sourde.

Sa bouche buvait les lèvres de Laurie comme pour étancher une soif inextinguible. Elle palpitait sous la caresse brûlante de ses doigts. Tout à coup, l'étalon noir renâcla et Max se détourna. Une flammèche emportée par le vent était tombée sur l'île. Le jeune homme courut l'éteindre.

— Vous feriez mieux de vous reposer, conseilla-t-il en revenant près de Laurie. Nous ne pourrons pas repartir avant un long moment. Il faut attendre que l'incendie s'éteigne et que la forêt refroidisse.

Il l'installa au creux d'un rocher. Mais lui-même ne s'assit pas. Sans répit, il arpentait l'îlot, prêt à piétiner toute étincelle. Prinz vint se blottir sur les genoux de Laurie. Il lui lécha les mains puis s'endormit. Mais Laurie ne trouvait pas le sommeil. L'incendie encerclait tout le lac, et elle était effrayée. Progressivement, le feu s'apaisa. Lorsque tout danger fut écarté, Max vint s'asseoir près d'elle. Avec un soupir heureux, elle nicha sa tête contre son épaule et s'assoupit aussitôt.

Le *Föhn*, ce vent terrible, avait détourné les flammes. Dans le ciel orangé, une lueur grise annonçait l'aube lorsque Laurie ouvrit les yeux. Pas un arbre n'avait été épargné. La forêt était morte en une nuit. La terre noircie et désolée dormirait longtemps avant que de jeunes pousses ne réapparaissent. Mais déjà, de petits animaux glissaient silencieusement dans l'eau et nageaient vers la rive.

Laurie s'étira. Max n'était plus là. Se redressant, elle l'aperçut. Accroupi sur la berge, il contemplait le sinistre. Elle courut vers lui, avide de sentir à nouveau la chaleur de ses bras rassurants.

Il l'enlaça et la dévisagea d'un air taquin.

— Nous avons passé une nuit ensemble, vous rendez-vous compte ? Vous allez être obligée de m'épouser à présent, pour sauvegarder votre honneur !

— Je l'exigerai ! riposta-t-elle joyeusement.

— Et le chalet Alpenrose ? demanda-t-il avec une pointe d'inquiétude. J'ai des papiers au château, je vous les montrerai dès notre retour. Le vieux *Herr* Staffler hait ma famille depuis des années. Il a empoisonné l'esprit de votre grand-oncle, l'a convaincu que tous ses maux venaient de nous. Et il a recommencé avec vous... Mais, Laurie, je puis...

Tendrement, elle lui posa un doigt sur les lèvres.

— Cela n'a plus d'importance, Max.

Il tourna la tête et embrassa doucement la paume de sa main.

— Je ne veux aucun obstacle entre nous, Laurie.

— Il n'y en aura pas. J'ai décidé de donner le chalet.

— Le donner ?

— Oui, sourit-elle, à vous... Ce sera mon cadeau de mariage.

Max rit avec soulagement.

— Ainsi, ce chalet donné en dot sera rendu en dot ! C'est parfait !

Laurie scruta le lac.

— Pouvons-nous repartir à présent ?

— Je vais regagner la berge à la nage pour m'en assurer. Pouvez-vous rester seule un moment ?

Elle acquiesça et, bientôt, Max s'enfonça dans les eaux sombres sur son cheval. Pendant son absence, Laurie essaya de se nettoyer un peu. Son joli costume était réduit en lambeaux, constata-t-elle tristement. Ving minutes plus tard, Max réapparut, la poitrine noircie de charbon de bois.

— Cela devrait aller, annonça-t-il. J'ai enlevé quelques obstacles du chemin, nous ne risquons plus rien, je crois.

Laurie le contempla avec une tendresse mêlée de fierté. Mais subitement, un sentiment très fort, proche de la panique, s'empara d'elle. Elle lui saisit la main et la serra.

— Qu'y a-t-il, Laurie ?

— Rien... Je suis si heureuse, Max, j'ai eu peur de voir mon bonheur se briser subitement.

— Rien ne viendra le ternir, *Liebchen,* pas tant que vous aurez une grande brute stupide pour vous protéger !

Elle éclata de rire.

— Seigneur ! Me pardonnerez-vous un jour ?

— C'est possible... Mais vous devrez longuement vous repentir !

Max nagea à côté du cheval en tenant les rênes. Puis, ils cherchèrent l'entrée du sentier. Le jeune homme avait dégagé le pin tombé en travers de la route. Le sol était couvert d'une épaisse couche de cendre. Les sabots de l'étalon soulevaient des nuages de poussière âcre. Des branches à demi arrachées entravaient leur progression. Max les écartait sans peine. Mais une fois, un cri de douleur lui échappa : la branche était encore incandescente.

— Vous êtes-vous blessé ? Laissez-moi voir !

— Ce n'est rien.

— Allons, Max, laissez-moi voir !

Il tendit la main. Une large brûlure barrait sa paume. Laurie déchira un lambeau de son jupon et lui confectionna un bandage. Il la remercia d'un regard.

Enfin, ils sortirent de la forêt carbonisée. Le vent s'était entièrement apaisé et le soleil brillait sur les champs. La journée promettait d'être belle. Les clochettes des moutons et des vaches tintaient gaiement dans les pâturages. Quelle paix ! L'incendie paraissait n'avoir jamais existé.

Max mit ses mains en cornet devant sa bouche et lança un long cri modulé dont les échos rebondirent dans toute la vallée. Aussitôt, un cri lui répondit, puis un autre. De tous côtés des gens arrivèrent en courant vers eux. Des exclamations de plaisir et de soulagement jaillissaient. L'un des premiers à arriver près d'eux fut le jeune Franz. Il s'arrêta net et les dévisagea avec un mélange de stupéfaction et d'horreur. Ils devaient avoir piteuse allure, songea Laurie. Max était noir des pieds à la tête. Quant à elle, les nuages de suie l'avaient rendue méconnaissable. Ses bras et ses jambes étaient écorchés, et elle avait toujours son énorme bosse sur le front. Leurs vêtements à tous deux étaient en lambeaux.

Max la souleva dans ses bras et l'emporta jusqu'à une voiture garée non loin. Quelqu'un voulut lui prendre Prinz, mais elle résista. Elle l'avait sauvé pour Rudi et le lui remettrait à lui, en personne.

La voiture franchit le portail du château et s'arrêta sur le gravier de la cour. Anna von Reistoven et Rudi les attendaient. Le garçonnet s'avança, rayonnant. Sans mot dire, Laurie lui tendit son chiot. Rudi la remercia d'un gros baiser sur la joue et partit en courant et en criant de joie.

Anna courut d'abord se jeter dans les bras de Max. Des larmes brillaient dans ses yeux. Puis elle se tourna vers Laurie.

— Dieu soit loué, vous êtes saufs tous les deux ! Vous devez être morts de fatigue. Max, porte-la vite dans sa chambre ! *Frau* Muller, appelez le médecin ! Heidi, courez en avant préparer un bain !

Laurie aurait parfaitement pu regagner sa chambre toute seule, mais elle ne protesta pas lorsque Max l'enleva dans ses bras solides. Elle nicha sa tête au creux de son cou, humant l'odeur de bois sur sa peau.

Max laissa les femmes s'occuper d'elle et disparut. Laurie se mordit les lèvres pour ne pas crier en se plongeant dans le bain. Mais Heidi l'aida gentiment, et, au bout de quelques instants, la douleur de ses blessures s'atténua. Quel plaisir de se sentir propre à nouveau ! Le médecin soigna les plaies et les pansa. Palpant doucement sa bosse, il tendit la main vers sa sacoche.

— Je vais vous donner des pilules pour dissiper la douleur et vous faire dormir.

Acquiesçant docilement, Laurie avala les cachets. Très vite, elle s'endormit. Mais au lieu de rêver à son bonheur proche avec Max, elle fit des cauchemars étranges et terrifiants : elle était de nouveau dans l'incendie. Max, sur son cheval, s'éloignait et l'abandonnait. Elle l'appelait, mais il refusait de l'écouter et de revenir. Laurie s'éveilla en nage. Anna von Reistoven était à son chevet et la serrait dans ses bras.

— C'est fini, Laurie, tout va bien à présent. Le danger est écarté, mon enfant.

Peu à peu, Laurie revint à elle. Elle s'agrippait sans honte à Anna, et était parcourue de frissons de terreur. Heidi lui apporta une boisson fraîche et redressa ses oreillers. Mais la jeune fille avait trop peur de rêver à nouveau pour pouvoir se rendormir tout de suite. Elle resta ainsi un long moment. Sa main dans celle d'Anna.

Lorsqu'elle rouvrit les yeux, elle était seule. Le soleil inondait sa chambre, et un fort parfum de fleurs embaumait l'air. Tournant la tête, elle découvrit d'innombrables vases remplis de bouquets de toutes sortes. Elle s'illumina. Elle savait bien d'où provenaient ces fleurs et quel était leur message ! Vivement, elle se leva et voulut s'habiller. Mais Anna von Reistoven entre-bâilla la porte.

— Non, non, Laurie ! Retournez au lit. Heidi va vous apporter à manger, et je resterai vous tenir compagnie.

La mère de Max bavarda gentiment tandis que Laurie mangeait de bon appétit.

— Nous n'avions même pas remarqué votre départ de la fête. Mais *Herr* Gruber a commencé à s'inquiéter parce que vous ne retéléphoniez pas. Il est venu prévenir Max. Celui-ci est monté directement au château. Il a trouvé l'écurie et le portail ouverts. En un clin d'œil, il a vu la fumée de l'incendie et est parti à votre recherche… Mais il a dû vous raconter tout cela !

— Non, euh… Il était très occupé à étouffer les flammèches, voyez-vous, balbutia Laurie en rougissant.

— Oui, je comprends ! répondit Anna en dissimulant un sourire. Enfin, il vous a retrouvée, vous êtes sains et saufs tous les deux, le mieux est de ne plus y penser. Heidi va vous tenir compagnie un moment, je dois aller voir Max. J'ai l'impression qu'il a quelque chose de très important à me dire !

Elle posa un léger baiser sur le front de Laurie et s'éclipsa.

Heidi, toute souriante, prit la relève. Elle babillait sans cesse, racontant à Laurie comment l'événement avait été vécu chez les domestiques.

— On vous croyait morte, confia-t-elle, on disait qu'il ne vous retrouverait jamais…

Laurie n'écoutait que d'une oreille.

— Mais il vous a sauvé la vie, peut-être accepterez-vous de lui vendre le chalet Alpenrose, à présent. Alors, le gouvernement lui donnera beaucoup d'argent et ils construiront la nouvelle autoroute dans la vallée, et *Herr* von Reistoven bâtira son nouvel hôtel et…

— Que… Qu'avez-vous dit ? murmura faiblement Laurie.

Heidi s'interrompit et se posa la main sur la bouche.

— Oh ! Je suis désolée ! *Herr* von Reistoven m'a ordonné de n'en parler à personne... Je n'aurais rien dû dire... Je dois retourner à la cuisine, *Fraülein*...

— Heidi ! Revenez !...

Laurie était sortie du lit et avait attrapé la jeune servante par le poignet.

— Heidi, Max... *Herr* von Reistoven a l'intention de construire un hôtel à l'emplacement du chalet ? On va percer une route dans la vallée ? Est-ce vrai ?

Heidi marmonna quelques mots en allemand, sans regarder Laurie en face.

— Heidi, vous devez me dire la vérité, vous le devez ! supplia-t-elle.

Une peur nauséeuse l'envahissait. Elle sentait son bonheur prêt à s'effondrer.

Lentement, la jeune servante hocha la tête.

— Oui, c'est vrai. Mais je vous en prie, n'en parlez pas à *Herr* von Reistoven. Personne d'autre ne le sait. Je l'ai entendu en parler au téléphone.

— Que disait-il ? Heidi, essayez de vous souvenir exactement de ces paroles. C'est très important.

— C'était avant votre arrivée à Ausbach, après la mort de *Herr* Canning. J'étais en train de nettoyer les vitres et *Herr* von Reistoven est entré dans son bureau pour répondre au téléphone. J'étais en partie cachée par les rideaux, il ne m'a pas vue. C'était un appel de son avocat à Vienne, je crois...

— Oui, oui, mais que disaient-ils ?

— *Herr* Canning venait de mourir et *Herr* von Reistoven voulait connaître les termes exacts de son testament pour pouvoir racheter le chalet Alpenrose. Il a écouté son interlocuteur un bon moment, puis il a dit : « Cela nous donnera les terrains nécessaires pour construire l'autoroute à péage. Le gouvernement nous versera un pourcentage sur chaque passage de voiture et nous obtiendrons la franchise pour notre hôtel.

Ce sera très rentable. »... C'est une traduction, bien sûr, poursuivit Heidi. Mais mon anglais est bon, je crois ?

— Oui, Heidi, il est excellent. Pouvez-vous remporter ce plateau, je vous prie ? Je n'ai plus faim.

Trop heureuse de s'échapper, la servante prit le plateau et sortit. Restée seule, Laurie alla à la fenêtre. Quelle sotte ! Quelle sotte naïve et aveugle elle avait été ! Max n'avait jamais eu l'intention de l'épouser pour elle-même... Seul le chalet l'intéressait. Il représentait une véritable fortune... Et Max était déterminé à l'obtenir. Il avait même été jusqu'à proposer de l'épouser pour parvenir à ses fins ! Et elle avait eu foi en lui, pauvre, pauvre sotte ! Et ses baisers sur l'île, et ses paroles tendres ? Mensonges ! Ignobles mensonges auxquels elle avait cru trop vite, trop volontiers !

Le cœur lacéré, un sanglot dans la gorge, Laurie s'habilla rapidement. Elle ne pouvait plus rester ici, ne voulait plus rencontrer cet homme méprisable, avide de pouvoir et d'argent au point de se vendre.

Heidi entra tandis qu'elle se chaussait.

— *Fräulein*, un visiteur pour vous. M. Derrington. Il vous attend dans la petite bibliothèque.

Laurie la fixa d'un air incrédule. Richard ! Richard était ici !

— Merci, Heidi. Je descends tout de suite... Ne prévenez pas *Herr* von Reistoven, c'est inutile.

Elle sortit en courant. Son cœur cognait dans sa poitrine. Il était venu demander des explications. Pourrait-elle lui demander de l'aide malgré tout ? Elle ouvrit brusquement la porte, et Richard se tourna vers elle, si familier, si rassurant.

— Oh, Richard !

Elle se jeta dans ses bras, éperdue de douleur.

— Laurie ! Que se passe-t-il ?

Sa voix était pleine de compassion. Laurie se serra contre lui, incapable de retenir ses larmes plus longtemps.

— Oh Richard, je suis si heureuse de vous voir ! J'ai besoin de vous, aidez-moi, je vous en supplie !

— Que se passe-t-il, Laurie ? Expliquez-moi tout !

— Oui, oui, mais plus tard. Nous devons partir d'ici au plus vite. Mais auparavant, je veux établir un acte de donation. Je vous en supplie, ne me posez pas de questions. Tenez, voici un papier et un stylo.

— C'est bon, capitula-t-il. Quelles sont les clauses ?

— Je veux céder sans condition le chalet Alpenrose et les terres contiguës à *Herr* von Reistoven. Cet acte doit prendre effet immédiatement.

Richard voulut protester mais il s'en abstint. Sur une autre feuille, Laurie traça hâtivement quelques mots : « Je sais tout à propos de l'autoroute à péage et de l'hôtel. Je vous donne le chalet. Je n'y tiens pas assez pour accepter de gâcher ma vie. »

— Signez ceci, dit Richard. Je vais certifier votre donation.

— Avez-vous une voiture ?

— Oui, elle est devant l'entrée du château.

— Allez m'y attendre. Je dois faire mes valises.

— Mais pourquoi n'appelez-vous pas un domestique ?

— Personne ne doit nous voir partir, Richard, nous n'avons pas une minute à perdre ! Je vous expliquerai tout sur la route.

Il la dévisagea longuement et poussa un soupir.

— C'est bon, je vous attendrai dans la voiture.

Rapidement, Laurie regagna sa chambre et boucla ses valises. Elle posa le mot pour Max bien en vue et sortit du château.

— Toutes vos affaires sont là ? s'enquit Richard. Dans ce cas, partons.

Il tourna la clef de contact et démarra, laissant le château derrière eux.

10

Sans un mot, ils traversèrent le village et la vallée. Bientôt, ils s'enfonceraient entre les flancs des Alpes et la vallée disparaîtrait à jamais. Impulsivement, Laurie posa la main sur le bras de Richard.

— Pouvez-vous vous garer un instant sur ce promontoire ? On voit toute la vallée de là.

— Est-ce bien raisonnable, Laurie ? Cela retournera le couteau dans la plaie.

— Juste une minute, je vous en prie.

Richard obéit à contrecœur. Une foule de touristes s'accoudait à la barrière pour admirer le panorama. Laurie se fraya un passage et contempla le paysage. Il lui semblait quitter un monde de chaleur et de gaieté pour entrer dans un univers aussi froid que les pics des montagnes. Seule une petite route reliait ces deux mondes opposés. Tout en bas, des voitures avançaient lentement, petites fourmis besogneuses. Au loin, cependant, l'une d'entre elles se déplaçait à vive allure, klaxonnant sans cesse et prenant les virages sans ralentir. Le conducteur doit être fou, songea Laurie en voyant les roues de la longue voiture grise déraper sur le bas côté. Une voiture grise ! Sans hésiter, elle arracha ses jumelles à un touriste ébahi et se pencha. C'était

Max ! Etouffant un cri, elle rendit les jumelles à son propriétaire et courut vers Richard.

— Vite ! Partons ! Il nous poursuit !

— Comment ? Voulez-vous dire…

— Oui, faites vite, par pitié !

— Je ne fuis pas ce…

— Mais moi, si ! Richard, si vous ne prenez pas le volant, je conduis moi-même !

— C'est bon, c'est bon, maugréa-t-il en démarrant. Mais j'ai horreur de la précipitation.

— Tant pis ! Ne pouvez-vous pas accélérer ?

Il lui jeta un bref coup d'œil mais obéit. Il dépassa deux voitures avant de se ranger, juste à temps pour éviter de percuter une caravane. Après une côte ardue, la route redescendait et ils prirent de la vitesse. La Mercedes était invisible. Laurie sentait l'espoir revenir, lorsqu'ils durent ralentir. Un camion les précédait et le flot incessant des voitures qui arrivaient en sens inverse les empêchait de le doubler. Au loin, un point gris apparut et grossit rapidement.

— Plus vite, Richard, il nous rattrape !

Le jeune homme accéléra, conservant à peine un minimum de prudence. Mais Max ne s'embarrassait pas de cela. Au risque d'emboutir les voitures, il les doublait les unes après les autres et se rapprochait inexorablement.

— Nous n'avons aucune chance, s'écria Richard. Sa voiture est trop puissante. Il y a une route sur la gauche, un peu plus bas. Si j'y arrive assez vite, la montagne nous cachera.

Appuyant à fond sur l'accélérateur, il prit le virage dans un hurlement de pneus. Laurie se retourna, hagarde. Leur ruse allait-elle réussir ? La Mercedes avait disparu.

— Nous avons réussi ! Nous avons réussi ! cria-t-elle.

— Je crains que non, Laurie, déclara sourdement Richard.

La voiture grise venait de surgir à une cinquantaine de mètres d'eux. Max appuya longuement sur son klaxon. Il semblait vouloir se jeter sur eux.

— Tant pis, je ne freine pas ! grommela Richard, les dents serrées...

Mais la Mercedes les avait rattrapés et roulait à côté d'eux.

— ... Il essaie de nous faire quitter la route ! Il est fou ! hurla Richard...

Au même instant, la roue heurta une pierre sur le bord de la route. La voiture se renversa dans le champ, elle fit un tonneau et s'immobilisa.

Hébétée, Laurie resta immobile quelques secondes. Puis elle détacha sa ceinture de sécurité d'une main tremblante. Richard s'assura d'un coup d'œil qu'elle n'était pas blessée et sortit de la voiture. Max s'était garé et il courut vers la voiture. Il ouvrit violemment la portière de Laurie.

— Je veux vous parler ! déclara-t-il.

Ivre de fureur, Laurie se dressa.

— Etes-vous fou ? Vous avez failli nous tuer ! Vous en rendez-vous compte ?

Richard fit le tour de la voiture.

— Espèce de maniaque ! Je vais appeler la police et vous faire arrêter !

Max ouvrit la bouche pour répondre, mais sa voix fut couverte par leurs cris.

— J'espère qu'ils vous garderont en prison pendant des années !

— Vous avez failli la faire mourir de peur ! On devrait vous retirer votre permis !

Exaspéré, Max repoussa Richard en arrière. Le jeune homme tomba.

— Taisez-vous !

D'une main, il saisit Laurie et l'obligea à sortir. Avec un rugissement de rage, Richard se releva et arracha Laurie des mains de Max.

— Ne touchez pas à ma fiancée !

Laurie trébucha. Max venait de la lâcher pour se défendre. Sans comprendre, elle regarda les deux hommes se battre. Elle n'eut pas le temps de réagir... En quelques secondes, tout était terminé. Prenant Max par surprise, Richard lui avait décoché un violent coup de poing à la mâchoire.

— Max !

Avec un cri horrifié, Laurie se précipita vers lui. Elle se jeta à genoux devant le jeune homme inanimé.

— Allons, Laurie, laissez-le ! Partons d'ici !

— Mais il est blessé ! Il a peut-être le crâne fracturé !

— Sûrement pas, il est assommé, voilà tout ! Allons, venez. Ramenez ma voiture sur la grand-route, je vais débrancher les bougie de son moteur. Nous atteidrons la frontière avant qu'il ne sorte d'ici !

— Richard, je ne peux pas le laisser dans cet état !

A ce moment-là, Max poussa un grognement et posa sa main sur sa joue.

— Max ! Tout va bien ?

— Il m'a assommé ! murmura-t-il d'un air stupéfait.

Assurément, cela ne lui était jamais arrivé auparavant. Il ne parvenait pas à le croire. Les poings serrés, il se redressa, une lueur vengeresse dans les yeux.

— Cela n'a rien d'étonnant, se hâta d'expliquer Laurie. Il a été champion de boxe de son université pendant deux ans et il est ceinture noire de judo !

— Vraiment ?

Max inspecta son adversaire d'un air prudent. Richard, dépité, s'était éloigné et examinait sa voiture. Max en profita pour entraîner Laurie un peu plus loin, en dépit de ses protestations. Ils arrivèrent dans une clairière baignée de soleil.

— Pourquoi vous êtes-vous enfuie ? demanda-t-il aussitôt.

— Vous avez dû lire mon mot, il est suffisamment clair, rétorqua-t-elle froidement.

— *Mein Gott !* Vous m'avez vraiment cru capable d'une chose pareille ! gronda-t-il d'une voix sourde...

Ses yeux exprimaient une incrédulité blessée. Brusquement, il la saisit par les épaules et l'attira contre lui. Il la secouait presque, ivre de rage.

— N'apprendrez-vous donc jamais à me faire confiance ? s'exclama-t-il. Vous préférez écouter les bavardages stupides d'une servante plutôt que de me croire, n'est-ce pas ? Depuis le premier jour, vous avez toujours été prête à vous laisser persuader du pire, à mon propos ! Même maintenant, après notre...

Sa voix se brisa. Au prix d'un effort surhumain, il se maîtrisa et respira profondément. Lorsqu'il reprit la parole, sa voix était lourde de sarcasme.

— Eh bien, pour votre information, apprenez donc ceci : l'autoroute et l'hôtel sont en construction à l'heure actuelle, dans une autre vallée, dans une tout autre région du Tyrol. Et vous auriez pu l'apprendre très simplement en venant me le demander vous-même au lieu de vous enfuir stupidement. Je vous aurais montré les plans, tout comme je vous ai proposé de vous montrer la preuve que le chalet m'appartient. Mais vous ne pouviez pas faire cela, n'est-ce pas ? poursuivit-il inexorablement. Tout naturellement, vous m'avez accusé des pires bassesses, sans même demander de preuves. Et vous avez accompli votre petit geste si beau, si noble, avant de vous faufiler par la porte de service ! Quelle grandeur d'esprit !

Le visage livide, Laurie leva les yeux vers lui.

— Max, je...

— Eh bien voici votre précieux chalet, Laurie !...

Il sortit l'acte de donation de sa poche et le déchira méticuleusement en mille morceaux.

— ... Faites-en ce que vous voudrez. Je ne m'en suis plus jamais soucié depuis le jour où je vous ai rencontrée. C'est vous que je désirais, pas un misérable bout de terrain !

Jetant les bouts de papier à terre, il tourna les talons et s'éloigna. Il s'arrêta quelques mètres plus loin et s'appuya contre un arbre, dos tourné.

Laurie ne le quittait pas des yeux. Elle était incapable de parler, de trouver les mots justes pour lui demander pardon. Elle se sentait atrocement coupable, honteuse.

— Max, appela-t-elle d'une voix implorante.

Il resta immobile très longtemps. Puis, tout doucement, il se retourna. Ses traits semblaient sculptés dans le roc le plus dur... Progressivement, son expression se transforma.

— Venez ici, dit-il posément.

Ses genoux tremblants menaçaient à tout moment de se dérober sous elle. Lentement, elle avança et s'arrêta à deux mètres de lui.

— Ma petite folle !

Max lui ouvrait les bras, Max lui souriait ! Avec un cri étranglé de reconnaissance, elle courut se jeter dans ses bras. Elle voulut lui parler, s'excuser, mais il l'en empêcha. Il ne cessait de l'appeler sa petite sotte, sa ravissante petite sotte, son amour de petite sotte. Pour le faire taire, elle lui ferma la bouche d'un baiser. Il s'empara de ses lèvres avec une ardeur sauvage, possessive.

— *Liebchen*, je vous aime tant ! souffla-t-il d'une voix rauque. Pensiez-vous donc que j'allais vous laisser partir sans réagir ? Lorsqu'on m'a annoncé votre départ avec un autre homme !... *Gott !* Ce fut un véritable enfer. Puis, j'ai découvert votre message et j'ai tout compris. Oh Laurie ! Epousez-moi vite !

— Quand vous voudrez !...

Elle lui rendait ses baisers tendrement, le souffle court.

— ... On dira que je vous épouse pour votre argent ! murmura-t-elle, mi-taquine, mi-sérieuse.

— Sûrement pas ! J'ai eu trop de mal à vous faire avouer que vous m'aimiez ! répondit-il en riant.

Il s'interrompit pour lui embrasser tout doucement le cou et la nuque.

— Allons ! chuchota-t-elle. Avez-vous oublié Richard ?

A regret, Max se redressa.

— Nous ferions mieux de partir à sa recherche. Il a dû aller dire à la police que je vous ai kidnappée !

Tendrement, il lui posa un doigt sur le cou.

— ... N'oubliez pas, nous en étions ici. Nous reprendrons à l'endroit où nous nous sommes arrêtés, la prochaine fois !

Elle le contempla avec un sourire heureux.

— Je m'en souviendrai !

Mais lorsqu'ils sortirent du bois, main dans la main, la Mercedes seule était là.

— Il est parti ! s'écria Laurie. Et il a mis mes valises dans votre voiture !

— Il nous a laissé un message, ajouta Max... « Vieux proverbe chinois, lut-il à voix haute. Qui gagne la bataille perd la femme. » Savez-vous, j'aurais trouvé votre fiancé officieux sympathique, après tout. C'est un bon perdant. Peut-être pourrions-nous l'inviter à notre mariage, ainsi que toute votre famille ?

— C'est une bonne idée, sourit-elle. Merci.

— Où irons-nous pour notre lune de miel ?

— Je ne sais pas. Avez-vous une proposition à me faire ?

— Eh bien, je connais une petite cabane dans la montagne...

— Ce sera parfait, mon amour !

LE BÉLIER

(21 mars-19 avril)

Signe de Feu dominé par Mars : Énergie.
Pierre : Rubis.
Métal : Acier.
Mot clé : Conquête.
Caractéristique : Audace.

Qualités : Combative et active. Personnalité affirmée, goût du risque, elle aime gagner.

Il lui dira : « Je vous aime, je suis heureux. »

LE BÉLIER

(21mars-19 avril)

Les natives du Bélier ont le goût de l'inconnu. Il exerce sur elles une étrange fascination ; elles sont capables de tout abandonner pour se lancer dans une aventure.

Laurie, par exemple, se laisse charmer par le Tyrol et le mystère de la maison dont elle a hérité.

Ce signe de feu confère courage, détermination et impulsivité. Mais cette « flamme sacrée » préserve une certaine sagesse. Les Béliers gardent la tête sur les épaules.

Le printemps est à la porte!

...et Harlequin carillonne

Joyeuses pâques

Profitez-en — redonnez bonne mine à votre bibliothèque dès aujourd'hui!

Avec 6 nouvelles parutions chaque mois
dans Collection Harlequin, Harlequin Romantique.
4 nouvelles parutions dans Collection Colombine.
2 nouvelles parutions dans Harlequin Séduction.

FH-SP

Collection Harlequin

Commandez les titres que vous n'avez pas eu l'occasion de lire...

Dans chaque roman HARLEQUIN, une belle histoire d'amour...

Confiez-nous le soin de votre évasion!
Postez-nous vite ce coupon-réponse.

Collection Harlequin

Stratford (Ontario) N5A 6W2

OUI, veuillez m'envoyer les volumes de la COLLECTION HARLEQUIN que j'ai cochés ci-dessous. Je joins un chèque ou mandat-poste de $1.75 par volume commandé, plus 75¢ de port et de manutention pour *l'ensemble* de ma commande.

☐ 74	☐ 78	☐ 82	☐ 86	☐ 90	☐ 94	☐ 98
☐ 75	☐ 79	☐ 83	☐ 87	☐ 91	☐ 95	☐ 99
☐ 76	☐ 80	☐ 84	☐ 88	☐ 92	☐ 96	☐ 100
☐ 77	☐ 81	☐ 85	☐ 89	☐ 93	☐ 97	☐ 101

Nombre de volumes. a $1 75 chacun $ _____

Frais de port et de manutention $ ____ .75

Total: $ _____

Envoyer un chèque ou un mandat-poste pour le TOTAL ci-dessus. Tout envoi en espèces est vivement déconseillé, et nous déclinons toute responsabilité en cas de perte ou de vol.

NOM _____
(EN MAJUSCULES. S V P)

ADRESSE _____ APP _____

VILLE _____ PROVINCE _____

CODE POSTAL _____

Nos prix peuvent être modifiés sans préavis
Offre valable jusqu'au 30 sept 1983.

309 56000000